초등 수학 핵심파트 집중 완성

고고특강

초5

E1

규칙과 대응

사고력
문제해결력

측정 · 규칙성
자료와 가능성

에듀히어로
Edu HERO

"진짜 히어로는 우리 아이들입니다!"

에듀히어로는
우리 아이들이 밝고 건강한 내일을 꿈꿀 수 있도록
긍정적이고 효과적인 교육 서비스를 제공하는 것을
최우선 목표로 하고 있습니다.

그 존재만으로도 든든한 히어로처럼 아이들의 곁에서 힘이 되어주고,
나아가 아이들 각자가 스스로의 인생 속 히어로가 될 수 있도록

우리는 진심과 열정을 다해 아이들과 함께 할 것을 약속 드립니다.

네이버 카페
교재 상세 소개와 진단 테스트
및 유용하게 풀 수 있는
학습 자료를 다운로드 해 보세요.

인스타그램
에듀히어로 인스타그램을
팔로우하시면 다양한 이벤트와
신간 소식을 빠르게 만나보실
수 있습니다.

카카오톡 채널
자녀 수학 공부 상담 및
자유로운 질문을 남겨 주세요.
함께 고민하고
답변해 드리겠습니다.

히어로컨텐츠 HEROCONTENS

발행일: 2023년 3월   **발행인:** 이예찬

기획개발: 두줄수학연구소

디자인: 4BD STUDIO   **삽화:** 1000DAY

발행처: 히어로컨텐츠

주소: 서울특별시 금천구 서부샛길 632, 7층(대륭테크노타운5차)

전화: 02-862-2220   **팩스:** 02-862-2227

지원카페: cafe.naver.com/eduherocafe   **인스타그램:** @edu__hero   **카카오톡:** 에듀히어로

초등 수학 핵심파트 집중 완성 교과특강

수학을 잘 하기 위해서는 1) 수와 연산 2) 도형 3) 측정 4) 규칙성 5) 자료와 가능성 등 초등 수학 5대 학습 영역을 고르게 학습해야 합니다.

다른 교과 과목에 비해 많은 시간을 수학을 학습하는 데 할애하고 있지만 아쉽게도 대부분은 연산 영역에 편중되어 있습니다.

최근 들어 '도형' 등 연산 이외의 다른 영역으로 학습을 확장하는 교재들이 출간되고 있지만 여전히 학년별로 다양한 학습 영역과 필수 주제를 체계적으로 안내해 주는 학습지는 많지 않은 것이 현실입니다.

그런 이유로 교과특강은 학년별 필수 주제를 기본 개념부터 응용, 사고력까지 충분하게 학습하고 훈련할 수 있도록 개발되었습니다.

수학을 잘 하고 싶은 학생들에게 노력한 만큼의 성장을 이루어내는 데 교과특강은 좋은 토양과 밑거름이 되어줄 것입니다.

초등 수학 핵심파트 집중 완성 교과특강은

1. '자료 해석 능력'을 집중적으로 키웁니다.

앞으로의 학습은 주어진 표와 그래프를 보고 그 의미를 해석하고 추론하는 '자료 해석 능력'을 요구합니다. 실제로 초등 전학년 뿐만 아니라 중등 과정에서도 '자료 해석'은 학습자의 문제해결력을 확인하는 중요한 소재가 되고 있습니다. 다양한 표와 그래프를 이해하고 해석하는 학습은 초등 과정부터 미리 준비하고 집중적으로 훈련할 필요가 있습니다.

2. '측정', '규칙성' 등 필수 영역임에도 쉽게 지나칠 수 있는 주제를 체계적으로 학습합니다.

길이, 무게, 시간, 어림하기 등 초등 과정에서 쉽게 지나치기 쉬운 '측정'과 추론 능력을 길러주는 '규칙성'을 집중적으로 학습합니다.

3. 복습과 예습으로 학년과 학년 사이의 징검다리 역할을 합니다.

1학년에서 2학년, 2학년에서 3학년, 3학년에서 4학년 등 학년이 올라갈수록 특정 영역에서 수학이 갑자기 어려워지는 순간이 옵니다. 교과특강은 각 학년에서 반드시 짚고 넘어가야 하는 주제를 복습하면서 다음 학년을 위한 예습까지 할 수 있도록 개발되었습니다.

4. 문제해결력과 사고력을 길러줍니다.

기본적인 개념을 바탕으로 이를 응용하고 활용하는 문제해결력과 생각하는 힘을 길러줍니다.

초등 수학 핵심파트 집중 완성 **교과특강**은

7세부터 6학년까지 총 7단계 21권(단계별 3권)으로 구성되어 있으며 각 권은 하루에 1장씩 주 5회, 총 4주간 체계적으로 학습할 수 있습니다.

매주 5일차의 학습이 끝난 뒤엔 '생각더하기'를 통해 창의력과 사고력을 기르고, 4주의 학습이 끝난 뒤엔 '링크'와 '형성평가'로 관련 주제를 학습하고 교과 수학을 완성할 수 있습니다.

대 상	단 계	구 성
7세 ~ 1학년	P	P1, P2, P3
1학년	A	A1, A2, A3
2학년	B	B1, B2, B3
3학년	C	C1, C2, C3
4학년	D	D1, D2, D3
5학년	E	E1, E2, E3
6학년	F	F1, F2, F3

〈교과 수학 시리즈 E단계 로드맵〉

에듀히어로의 교과 수학 시리즈를 체계적으로 학습하기 위한 로드맵입니다.

예습을 하며 집중적으로 학습하려면 '영역별 집중 학습'을,

교과서 진도에 맞추어 학습하려면 '교과 진도 맞춤 학습'을 권장드립니다.

[영역별 집중 학습]

1월	2월	3월	4월	5월	6월
교과연산 E0 / 교과도경 E1	교과연산 / 교과도경 E2	교과연산 / 교과도경 E3	교과연산 / 교과특강 E1	교과특강 E2	교과특강 E3

[교과 진도 맞춤 학습]

1월	2월	3월	4월	5월	6월	7월	8월	9월	10월
교과연산 E0	교과연산 E1	교과특강 E1	교과연산 E2	교과도경	교과특강 E2	교과연산	교과도경 E3	교과도경	교과특강 E3

교과특강은 교과 수학을 완성합니다.

주제별 학습

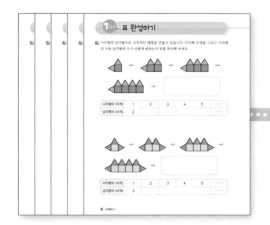

생각더하기

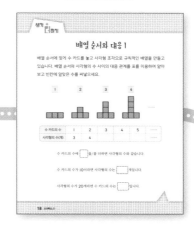

초등 수학을 주제별로 집중 학습합니다. 각 주차의 마지막에 있는 **생각더하기**로 문제해결력을 기릅니다.

링크

형성평가

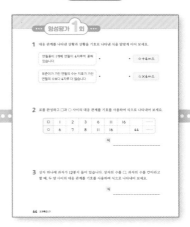

주제별 학습과 연결하여 사고력과 창의력을 향상시킬 수 있는 내용을 학습합니다.

2회의 형성평가로 배운 내용을 잘 알고 있는지 확인합니다.

이 책의 차례

덧셈 대응 관계

1 주차

사각형과 삼각형으로 규칙적인 배열을 만들고 있습니다. 다섯째 모양을 그리고 사각형의 수와 삼각형의 수가 어떻게 변하는지 표를 완성해 보세요.

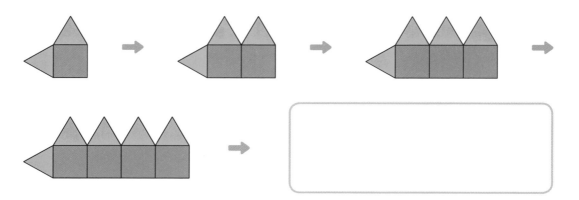

사각형의 수(개)	1	2	3	4	5	……
삼각형의 수(개)	2					……

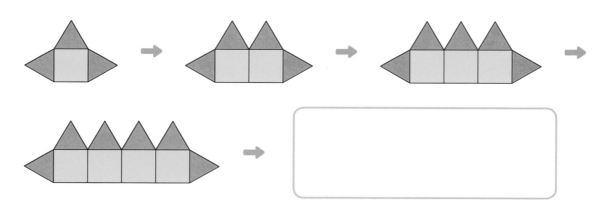

사각형의 수(개)	1	2	3	4	5	……
삼각형의 수(개)	3					……

사각형으로 규칙적인 배열을 만들고 있습니다. 두 가지 색깔의 사각형의 수가 어떻게 변하는지 표를 완성해 보세요.

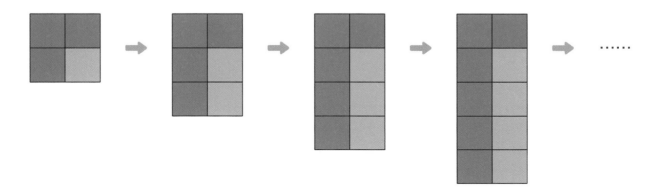

연두색 사각형의 수(개)	1		3		5	……
보라색 사각형의 수(개)		4		6		……

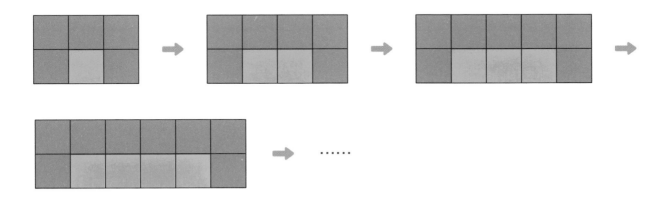

주황색 사각형의 수(개)		2		4		……
파란색 사각형의 수(개)	5		7		9	……

사각형과 삼각형으로 규칙적인 배열을 만들고 있습니다. 사각형의 수와 삼각형의 수 사이의 대응 관계를 찾아 이어 보세요.

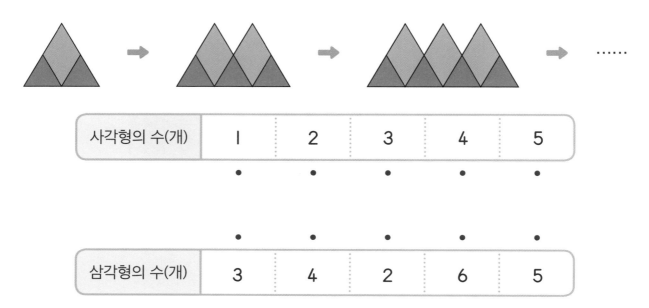

사각형의 수(개)	1	2	3	4	5
	•	•	•	•	•
	•	•	•	•	•
삼각형의 수(개)	3	4	2	6	5

서로 대응하는 두 양이란 서로 일정하게 변하는 두 양이고, 서로 일정하게 변하는 두 양 사이의 관계를 **대응 관계**라고 합니다.

사각형이 1개이면 삼각형은 2개, 사각형이 2개이면 삼각형은 3개……입니다.

[사각형의 수와 삼각형의 수 사이의 대응 관계]
• 사각형의 수에 1을 더하면 삼각형의 수와 같습니다.
• 삼각형의 수에서 1을 빼면 사각형의 수와 같습니다.

도형으로 규칙적인 배열을 만들고 있습니다. 두 도형의 수 사이의 대응 관계를 찾아
이어 보세요.

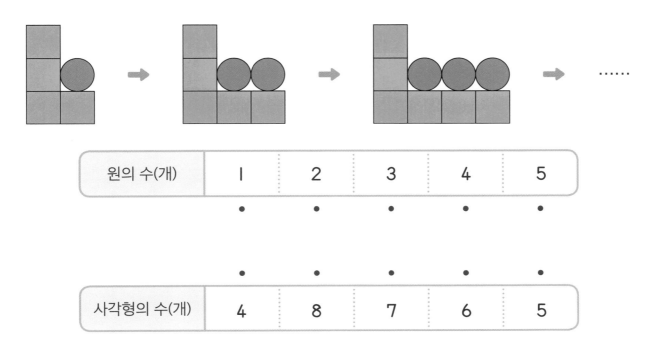

원의 수(개)	1	2	3	4	5

사각형의 수(개)	4	8	7	6	5

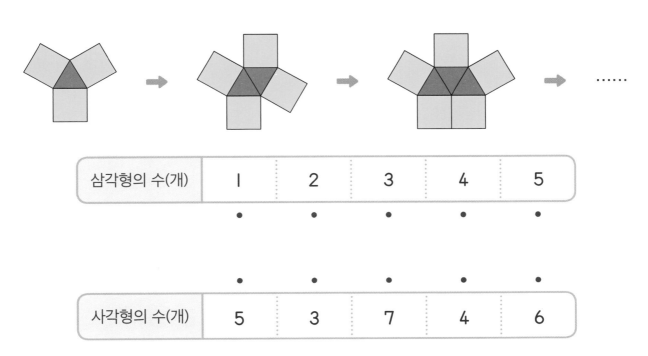

삼각형의 수(개)	1	2	3	4	5

사각형의 수(개)	5	3	7	4	6

삼각형과 사각형으로 규칙적인 배열을 만들고 있습니다. 삼각형의 수와 사각형의 수 사이의 대응 관계를 찾아 표를 완성하고 빈칸에 알맞은 수를 써넣으세요.

삼각형의 수(개)	1	2	3	4	5	……
사각형의 수(개)	3					……

삼각형의 수에 ☐ 을/를 더하면 사각형의 수와 같습니다.

삼각형이 6개일 때 필요한 사각형의 수는 ☐ 개입니다.

삼각형이 10개일 때 필요한 사각형의 수는 ☐ 개입니다.

사각형의 수에서 ☐ 을/를 빼면 삼각형의 수와 같습니다.

사각형이 15개일 때 필요한 삼각형의 수는 ☐ 개입니다.

나무 막대를 규칙적으로 자르고 있습니다. 자른 횟수와 잘라진 도막의 수 사이의 대응 관계를 찾아 표를 완성하고 빈칸에 알맞은 수를 써넣으세요.

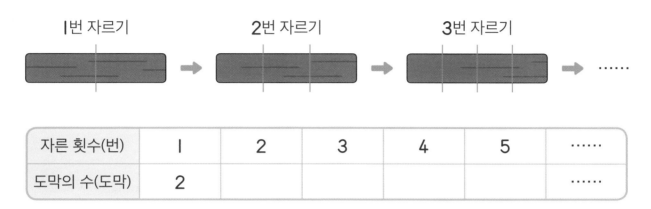

자른 횟수(번)	1	2	3	4	5	⋯⋯
도막의 수(도막)	2					⋯⋯

자른 횟수에 ☐ 을/를 더하면 도막의 수와 같습니다.

나무 막대를 **7**번 자르면 잘라진 도막의 수는 ☐ 도막입니다.

나무 막대를 **9**번 자르면 잘라진 도막의 수는 ☐ 도막입니다.

도막의 수에서 ☐ 을/를 빼면 자른 횟수와 같습니다.

잘라진 도막의 수가 **12**도막이라면 자른 횟수는 ☐ 번입니다.

■ 색종이에 누름 못을 꽂아서 벽에 붙이고 있습니다. 물음에 답하세요.

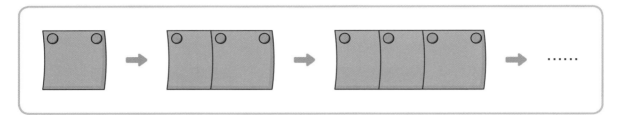

표를 완성하여 색종이의 수와 누름 못의 수 사이의 대응 관계를 알아보세요.

색종이의 수(장)	1	2	3	4	5	……
누름 못의 수(개)	2					……

색종이의 수와 누름 못의 수 사이의 대응 관계입니다. 빈칸에 알맞은 수를 써넣고 알맞은 말에 ◯표 하세요.

색종이의 수에 ☐ 을/를 (더하면 , 빼면) 누름 못의 수와 같습니다.

색종이를 20장 붙이려면 누름 못은 몇 개 필요한가요?

(   )개

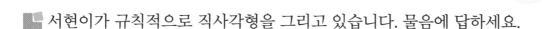
서현이가 규칙적으로 직사각형을 그리고 있습니다. 물음에 답하세요.

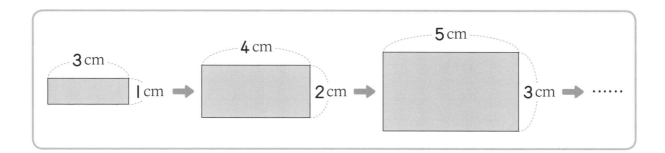

표를 완성하여 직사각형의 세로와 가로 사이의 대응 관계를 알아보세요.

세로(cm)	1	2	3	4	5	……
가로(cm)	3					……

직사각형의 세로와 가로 사이의 대응 관계를 써 보세요.

직사각형의 세로와 가로 사이의 대응 관계를 써 보세요.

서현이가 그린 직사각형의 가로가 30cm라면 세로는 몇 cm인가요?

(　　　　　)cm

물음에 답하세요.

표를 완성하여 석우의 나이와 동생의 나이 사이의 대응 관계를 알아보고 대응 관계를 써 보세요.

석우의 나이(살)	11	12	13		15	……
동생의 나이(살)	5		7	8		……

선아와 지후가 매일 100원씩 모으고 있습니다. 표를 완성하여 선아가 모은 돈과 지후가 모은 돈 사이의 대응 관계를 알아보고 대응 관계를 써 보세요.

선아가 모은 돈(원)	500	600		800		……
지후가 모은 돈(원)	1000	1100	1200		1400	……

🔲 물음에 답하세요.

서울이 오후 1시일 때 하노이는 오전 11시입니다. 서울이 오전 6시일 때 하노이는 몇 시일까요?

서울의 시각	오후 1시	오후 2시	오후 3시	오후 4시	……
하노이의 시각	오전 11시	낮 12시	오후 1시	오후 2시	……

(오전 , 오후) (　　　　)시

해솔이가 1살일 때 2013년이었습니다. 해솔이가 10살일 때는 몇 년이었을까요?

해솔이의 나이(살)	1	2	3	4	……
연도(년)	2013	2014	2015	2016	……

(　　　　)년

배열 순서와 대응 1

배열 순서에 맞게 수 카드를 놓고 사각형 조각으로 규칙적인 배열을 만들고 있습니다. 배열 순서와 사각형의 수 사이의 대응 관계를 표를 이용하여 알아 보고 빈칸에 알맞은 수를 써넣으세요.

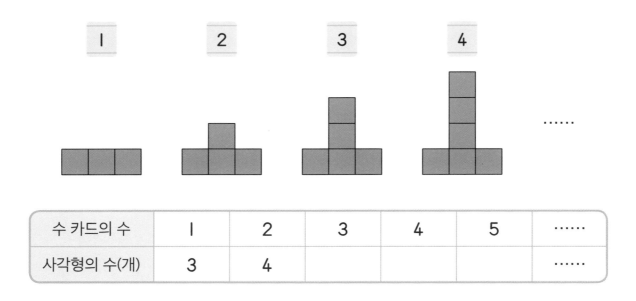

수 카드의 수	1	2	3	4	5	......
사각형의 수(개)	3	4				......

수 카드의 수에 ☐ 을/를 더하면 사각형의 수와 같습니다.

수 카드의 수가 10이라면 사각형의 수는 ☐ 개입니다.

사각형의 수가 20개라면 수 카드의 수는 ☐ 입니다.

2주차 곱셈 대응 관계

삼각형과 사각형으로 규칙적인 배열을 만들고 있습니다. 다섯째 모양을 그리고 삼각형의 수와 사각형의 수가 어떻게 변하는지 표를 완성해 보세요.

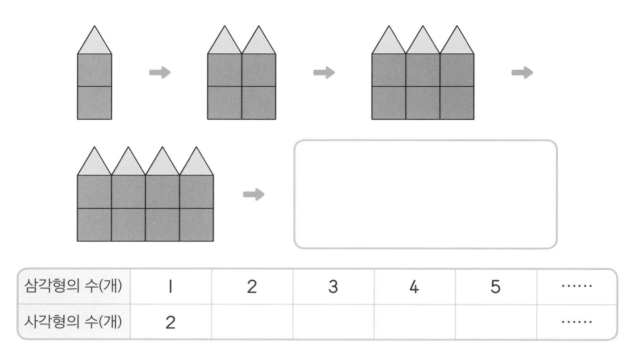

삼각형의 수(개)	1	2	3	4	5	⋯⋯
사각형의 수(개)	2					⋯⋯

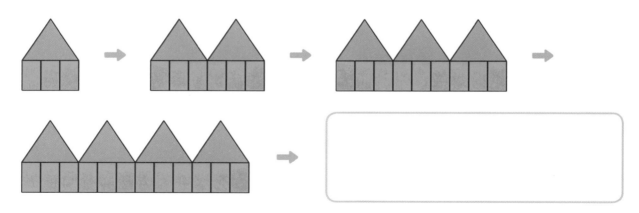

삼각형의 수(개)	1	2	3	4	5	⋯⋯
사각형의 수(개)	3					⋯⋯

사각형으로 규칙적인 배열을 만들고 있습니다. 두 가지 색깔의 사각형의 수가 어떻게 변하는지 표를 완성해 보세요.

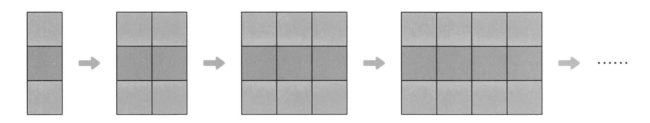

초록색 사각형의 수(개)	1		3		5	……
주황색 사각형의 수(개)		4		8		……

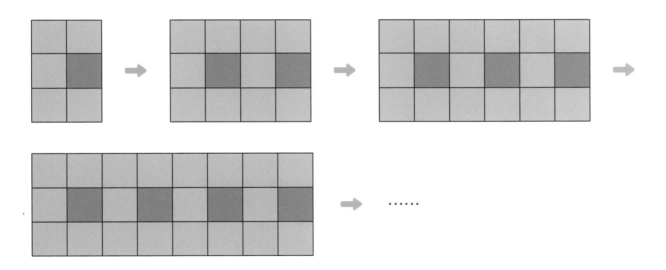

보라색 사각형의 수(개)		2		4		……
연두색 사각형의 수(개)	5		15		25	……

📙 사각형과 삼각형으로 규칙적인 배열을 만들고 있습니다. 사각형의 수와 삼각형의 수 사이의 대응 관계를 찾아 이어 보세요.

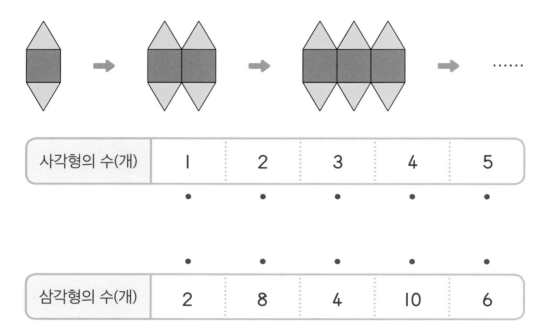

사각형의 수(개)	1	2	3	4	5

삼각형의 수(개)	2	8	4	10	6

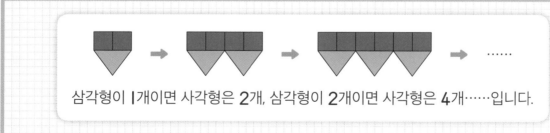

삼각형이 1개이면 사각형은 2개, 삼각형이 2개이면 사각형은 4개……입니다.

[삼각형의 수와 사각형의 수 사이의 대응 관계]
• 삼각형의 수에 2를 곱하면 사각형의 수와 같습니다.
• 사각형의 수를 2로 나누면 삼각형의 수와 같습니다.

도형으로 규칙적인 배열을 만들고 있습니다. 두 도형의 수 사이의 대응 관계를 찾아 이어 보세요.

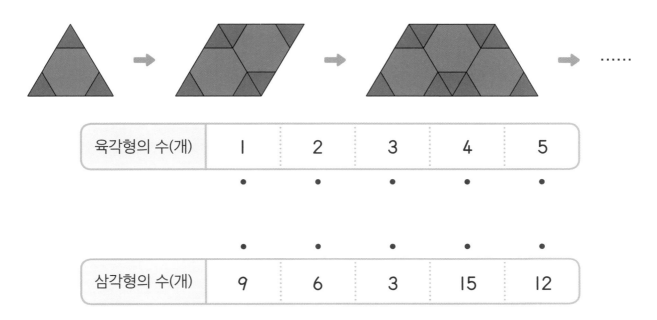

육각형의 수(개)	1	2	3	4	5

삼각형의 수(개)	9	6	3	15	12

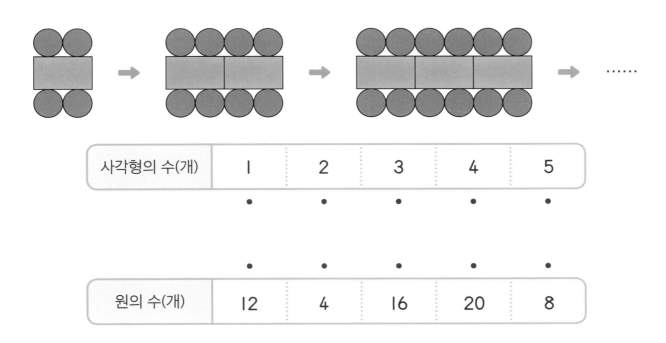

사각형의 수(개)	1	2	3	4	5

원의 수(개)	12	4	16	20	8

■ 사각형과 삼각형으로 규칙적인 배열을 만들고 있습니다. 사각형의 수와 삼각형의 수 사이의 대응 관계를 찾아 표를 완성하고 빈칸에 알맞은 수를 써넣으세요.

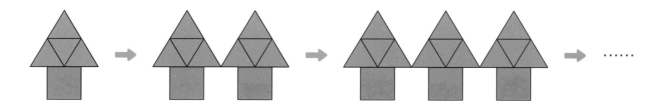

사각형의 수(개)	1	2	3	4	5	……
삼각형의 수(개)	4					……

사각형의 수에 ☐ 을/를 곱하면 삼각형의 수와 같습니다.

사각형이 6개일 때 필요한 삼각형의 수는 ☐ 개입니다.

사각형이 10개일 때 필요한 삼각형의 수는 ☐ 개입니다.

삼각형의 수를 ☐ (으)로 나누면 사각형의 수와 같습니다.

삼각형이 28개일 때 필요한 사각형의 수는 ☐ 개입니다.

50원짜리 동전의 수와 금액 사이의 대응 관계를 찾아 표를 완성하고 빈칸에 알맞은 수를 써넣으세요.

50원짜리 동전의 수(개)	1	2	3	4	5	……
금액(원)	50					……

50원짜리 동전의 수에 [　　] 을/를 곱하면 금액과 같습니다.

50원짜리 동전이 8개 있으면 금액은 [　　] 원입니다.

50원짜리 동전이 15개 있으면 금액은 [　　] 원입니다.

금액을 [　　] (으)로 나누면 50원짜리 동전의 수와 같습니다.

금액이 500원이라면 50원짜리 동전의 수는 [　　] 개입니다.

성냥개비를 이용하여 삼각형을 만들고 있습니다. 물음에 답하세요.

표를 완성하여 삼각형의 수와 성냥개비의 수 사이의 대응 관계를 알아보세요.

삼각형의 수(개)	1	2	3	4	5	……
성냥개비의 수(개)	3					……

삼각형의 수와 성냥개비의 수 사이의 대응 관계입니다. 빈칸에 알맞은 수를 써넣고 알맞은 말에 ◯표 하세요.

삼각형의 수에 ☐ 을/를 (곱하면 , 나누면) 성냥개비의 수와 같습니다.

삼각형을 20개 만든다면 필요한 성냥개비는 몇 개인가요?

(   )개

사과를 한 상자에 **20**개씩 담고 있습니다. 물음에 답하세요.

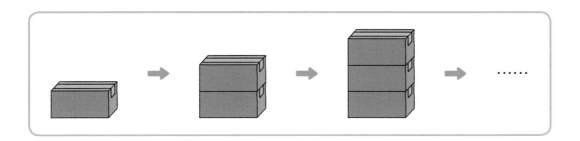

표를 완성하여 상자의 수와 사과의 수 사이의 대응 관계를 알아보세요.

상자의 수(상자)	1	2	3	4	5	......
사과의 수(개)	20					......

상자의 수와 사과의 수 사이의 대응 관계를 써 보세요.

사과를 **300**개 담으려면 필요한 상자는 몇 상자인가요?

(   )상자

물음에 답하세요.

식탁 1개에 의자가 **6**개씩 놓여 있습니다. 표를 완성하여 식탁의 수와 의자의 수 사이의 대응 관계를 알아보고 대응 관계를 써 보세요.

식탁의 수(개)	1	2	3	4		......
의자의 수(개)	6	12			30	......

고속 열차가 1초에 **80**m를 이동합니다. 표를 완성하여 걸린 시간과 이동 거리 사이의 대응 관계를 알아보고 대응 관계를 써 보세요.

걸린 시간(초)	1	2			5	......
이동 거리(m)	80		240	320		......

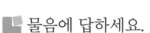 물음에 답하세요.

수도꼭지에서 물이 1분에 9L씩 나옵니다. 수도꼭지에서 10분 동안 나온 물의 양은 몇 L일까요?

물이 나온 시간(분)	1	2	3	4	……
물이 나온 양(L)	9	18	27	36	……

(   )L

소의 다리는 4개입니다. 어느 농장에 있는 소의 다리가 100개라면 농장에 있는 소는 몇 마리일까요?

소의 수(마리)	1	2	3	4	……
다리의 수(개)	4	8	12	16	……

(   )마리

배열 순서와 대응 2

배열 순서에 맞게 수 카드를 놓고 사각형 조각으로 규칙적인 배열을 만들고 있습니다. 배열 순서와 사각형의 수 사이의 대응 관계를 표를 이용하여 알아 보고 빈칸에 알맞은 수를 써넣으세요.

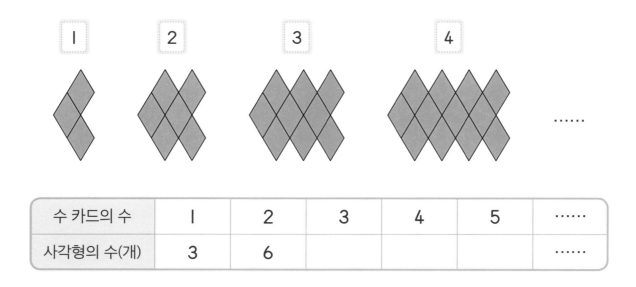

수 카드의 수	1	2	3	4	5	......
사각형의 수(개)	3	6				......

수 카드의 수에 [ ]을/를 곱하면 사각형의 수와 같습니다.

수 카드의 수가 9라면 사각형의 수는 [ ]개입니다.

사각형의 수가 30개라면 수 카드의 수는 [ ]입니다.

3 주차 덧셈식과 대응

▪ 표를 보고 빈칸에 알맞은 수 또는 말을 써넣으세요.

도화지의 수(장)	1	2	5	8	10	……
누름 못의 수(개)	2	3	6	9	11	……

도화지의 수에 ☐ 을/를 더하면 누름 못의 수와 같습니다. 두 양 사이의 대응 관계를

식으로 나타내면 [도화지의 수] + [1] = [ ] 입니다.

지우개의 수(개)	2	4	6	10	13	……
연필의 수(자루)	4	6	8	12	15	……

지우개의 수에 ☐ 을/를 더하면 연필의 수와 같습니다. 두 양 사이의 대응 관계를

식으로 나타내면 [ ] + [ ] = [연필의 수] 입니다.

동생의 나이(살)	5	7	11	14	16	……
언니의 나이(살)	9	11	15	18	20	……

언니의 나이에서 ☐ 을/를 빼면 동생의 나이와 같습니다. 두 양 사이의 대응 관계를

식으로 나타내면 [ ] − [4] = [ ] 입니다.

■ 표를 완성하여 대응 관계를 알아보고 빈칸에 알맞은 수 또는 기호를 써넣으세요.

자른 횟수(번)	1	3	4	10	20	……
조각의 수(개)	2	4	5			……

자른 횟수를 □, 조각의 수를 ☆이라고 할 때,

> 비연속적인 표에서는 한 양에서의 변화만 관찰하지 않고 두 양의 대응 관계에 초점을 맞추어야 합니다.

두 양 사이의 대응 관계를 식으로 나타내면 $\boxed{}+1=☆$입니다.

현우의 나이(살)	4	7			16	……
어머니의 나이(살)	34	37	40	42		……

현우의 나이를 ○, 어머니의 나이를 △이라고 할 때,

> 덧셈식으로 나타낼 수 있는 대응 관계는 뺄셈식으로도 나타낼 수 있습니다.

두 양 사이의 대응 관계를 식으로 나타내면 $△-\boxed{}=\boxed{}$입니다.

> 두 양 사이의 대응 관계를 식으로 간단하게 나타낼 때는 두 양을 나타내는 단어를 □, △, ☆, ○ 등과 같은 기호로 표현할 수 있습니다. 기호를 사용할 때는 어떤 양이 어떤 기호를 나타내는지 잘 살펴보아야 합니다.
>
> 대응 관계를 식으로 나타내면 큰 수에 대응하는 값을 구하기 편리합니다.

🔷 두 양 사이의 대응 관계를 식으로 바르게 나타낸 것에 모두 ◯표 하세요.

□	1	5	8	11	19	⋯⋯
◯	4	8	11	14	22	⋯⋯

$$□+3=◯ \qquad □+4=◯$$
$$◯-2=□ \qquad ◯-3=□$$

☆	1	10	15	23	40	⋯⋯
♡	6	15	20	28	45	⋯⋯

$$☆+6=♡ \qquad ☆+5=♡$$
$$♡-5=☆ \qquad ♡-6=☆$$

◯	11	16	25	50	63	⋯⋯
△	18	23	32	57	70	⋯⋯

$$◯+7=△ \qquad ◯-7=△$$
$$△-7=◯ \qquad △+7=◯$$

△	4	8	12	22	30	⋯⋯
◇	14	18	22	32	40	⋯⋯

$$△-10=◇ \qquad △+10=◇$$
$$◇-10=△ \qquad ◇+10=△$$

두 양 사이의 대응 관계를 기호를 사용하여 식으로 나타내어 보세요.

○	1	2	5	9	10	⋯⋯
◇	5	6	9	13	14	⋯⋯

식 _____

♡	3	5	7	11	15	⋯⋯
□	9	11	13	17	21	⋯⋯

식 _____

△	10	11	16	20	30	⋯⋯
☆	21	22	27	31	41	⋯⋯

식 _____

○	5	10	15	21	34	⋯⋯
♡	14	19	24	30	43	⋯⋯

식 _____

□	7	11	12	20	22	⋯⋯
△	27	31	32	40	42	⋯⋯

식 _____

3일차 식으로 나타내기

물음에 답하여 표를 완성하고 기호를 사용하여 식으로 나타내어 보세요.

형이 모은 돈을 □, 동생이 모은 돈을 ☆이라고 할 때, 표를 완성하고 두 양 사이의 대응 관계를 식으로 나타내어 보세요.

형이 모은 돈(원)	1500	2000	2200		3800	……
동생이 모은 돈(원)	500		1200	2100	2800	……

식

서아의 나이를 ○, 연도를 △이라고 할 때, 표를 완성하고 두 양 사이의 대응 관계를 식으로 나타내어 보세요.

서아의 나이(살)	10	11		19	24	……
연도(년)	2022	2023	2027	2031		……

식

📘 두 양 사이의 대응 관계를 기호를 사용하여 식으로 나타내어 보세요.

• 칠판에 그림을 붙이는 데 사용한 자석의 수는 그림의 수보다 1개 더 많습니다.
• 자석의 수를 □, 그림의 수를 ♡이라고 합니다.

□과 ♡ 중 무엇이 더 큰 수를
나타내는지 파악합니다.

식 _____

• 준기가 모은 돈은 승아가 모은 돈보다 **300**원 더 많습니다.
• 준기가 모은 돈을 △, 승아가 모은 돈을 ○이라고 합니다.

식 _____

• 어머니의 나이는 아버지의 나이보다 **4**살 더 적습니다.
• 어머니의 나이를 ☆, 아버지의 나이를 □이라고 합니다.

식 _____

• 라희가 가진 사탕의 수는 가을이가 가진 사탕의 수보다 **5**개 더 적습니다.
• 라희가 가진 사탕의 수를 ◇, 가을이가 가진 사탕의 수를 ☆이라고 합니다.

식 _____

기호가 나타내는 두 양을 찾아 이어 보세요.

할머니의 나이는 기석이의 나이보다 56살 더 많습니다.

$○+56=△$

○ •

△ •

• 할머니의 나이

• 기석이의 나이

미나가 가진 연필의 수는 선우가 가진 연필의 수보다 1자루 더 많습니다.

$◇-1=☆$

◇ •

☆ •

• 미나가 가진 연필의 수

• 선우가 가진 연필의 수

긴 끈을 자르면 끈을 자른 횟수는 끈 조각의 수보다 1 더 적습니다.

$□+1=◎$

□ •

◎ •

• 끈을 자른 횟수

• 끈 조각의 수

■ 빈칸에 알맞은 말을 써넣으세요.

설아의 나이가 **9**살일 때 준우의 나이는 **14**살이었습니다.

두 양 사이의 대응 관계를 나타낸 식 ○−5=□에서

○은 [   ], □은 [   ] 를 나타냅니다.

온유의 나이는 지유의 나이보다 **3**살 더 많습니다.

두 양 사이의 대응 관계를 나타낸 식 □+3=△에서

□은 [   ], △은 [   ] 를 나타냅니다.

문을 만드는 데 세로가 가로보다 **130** cm 더 길게 만듭니다.

두 양 사이의 대응 관계를 나타낸 식 ☆−130=○에서

☆은 [   ], ○은 [   ] 를 나타냅니다.

5일차 두 양 구하기

진성이가 어떤 수를 말하면 가윤이가 대응 관계를 만들어 답하고 있습니다. 물음에 답하세요.

진성이가 말한 수	12	14	49	25		……
가윤이가 답한 수	6	8	43		27	……

위의 표를 완성하여 대응 관계를 알아보세요.

진성이가 말한 수를 ☆, 가윤이가 답한 수를 ○이라고 할 때, 두 양 사이의 대응 관계를 기호를 사용하여 식으로 나타내어 보세요.

식 ____________________

진성이가 50을 말했다면 가윤이가 답한 수는 얼마인가요?

(　　　　　)

가윤이가 답한 수가 65라면 진성이가 말한 수는 얼마인가요?

(　　　　　)

지온이의 나이와 연도를 나타낸 표입니다. 두 양 사이의 대응 관계를 찾아 물음에 답하세요.

지온이의 나이(살)	3	10	12		19	⋯⋯
연도(년)	2012	2019	2021	2025		⋯⋯

위의 표를 완성하여 대응 관계를 알아보세요.

지온이의 나이를 △, 연도를 □이라고 할 때, 두 양 사이의 대응 관계를 기호를 사용하여 식으로 나타내어 보세요.

식 _____

지온이가 30살일 때는 몇 년인가요?

(   )년

2060년에 지온이는 몇 살인가요?

(   )살

대각선의 수

칠각형의 • 표시된 꼭짓점에서 그을 수 있는 대각선을 모두 그어 보세요.
또 표를 완성하고 빈칸에 기호를 사용한 식을 써넣으세요.

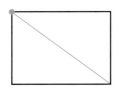  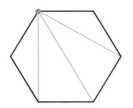 

다각형 변의 수(개)	4	5	6	7	……
한 꼭짓점에서 그을 수 있는 대각선의 수(개)					……

다각형 변의 수를 □, 한 꼭짓점에서 그을 수 있는 대각선의 수를 ☆이라고 할 때,

두 양 사이의 대응 관계를 식으로 나타내면 [   ]입니다.

4주차

곱셈식과 대응

■ 표를 보고 빈칸에 알맞은 수 또는 말을 써넣으세요.

탁자의 수(개)	1	2	3	5	7	······
의자의 수(개)	4	8	12	20	28	······

탁자의 수에 ☐ 을/를 곱하면 의자의 수와 같습니다. 두 양 사이의 대응 관계를

식으로 나타내면 | 탁자의 수 | × | 4 | = | ☐ | 입니다.

모둠의 수(모둠)	1	3	5	8	11	······
학생의 수(명)	5	15	25	40	55	······

모둠의 수에 ☐ 을/를 곱하면 학생의 수와 같습니다. 두 양 사이의 대응 관계를

식으로 나타내면 | ☐ | × | ☐ | = | 학생의 수 | 입니다.

책꽂이의 수(개)	1	3	4	8	12	······
책의 수(권)	10	30	40	80	120	······

책의 수를 ☐ (으)로 나누면 책꽂이의 수와 같습니다. 두 양 사이의 대응 관계를

식으로 나타내면 | ☐ | ÷ | 10 | = | ☐ | 입니다.

■ 표를 완성하여 대응 관계를 알아보고 빈칸에 알맞은 수 또는 기호를 써넣으세요.

세발자전거의 수(대)	1	2	5	10	12	……
바퀴의 수(개)	3	6	15			……

세발자전거의 수를 ○, 바퀴의 수를 ◇이라고 할 때,

두 양 사이의 대응 관계를 식으로 나타내면 ☐ × 3 = ◇입니다.

딸기의 수(개)	1	3	6		15	……
열량(킬로칼로리)	9	27		72		……

딸기의 수를 ☐, 열량을 ☆이라고 할 때,

두 양 사이의 대응 관계를 식으로 나타내면 ☐ × ☐ = ☐입니다.

시간(분)	2	4		11		……
나온 물의 양(L)	14	28	35		140	……

시간을 △, 나온 물의 양을 ○이라고 할 때,

곱셈식으로 나타낼 수 있는 대응 관계는 나눗셈식으로도 나타낼 수 있습니다.

두 양 사이의 대응 관계를 식으로 나타내면 ☐ ÷ 7 = ☐입니다.

두 양 사이의 대응 관계를 식으로 바르게 나타낸 것에 모두 ◯표 하세요.

□	1	3	5	7	9	⋯⋯
○	2	6	10	14	18	⋯⋯

$□ + 2 = ○$　　$□ × 2 = ○$

$○ ÷ 2 = □$　　$○ - 2 = □$

△	2	4	6	8	10	⋯⋯
☆	8	16	24	32	40	⋯⋯

$△ × 3 = ☆$　　$△ × 4 = ☆$

$☆ ÷ 3 = △$　　$☆ ÷ 4 = △$

◇	1	4	8	11	20	⋯⋯
♡	6	24	48	66	120	⋯⋯

$◇ ÷ 6 = ♡$　　$♡ × 6 = ◇$

$◇ × 6 = ♡$　　$♡ ÷ 6 = ◇$

△	5	6	9	10	15	⋯⋯
□	55	66	99	110	165	⋯⋯

$□ ÷ 11 = △$　　$△ ÷ 11 = □$

$□ × 11 = △$　　$△ × 11 = □$

■ 두 양 사이의 대응 관계를 기호를 사용하여 식으로 나타내어 보세요.

◇	1	2	6	8	10	……
○	2	4	12	16	20	……

식 _____

♡	1	3	4	9	11	……
☆	5	15	20	45	55	……

식 _____

□	2	6	10	15	22	……
♡	6	18	30	45	66	……

식 _____

○	3	7	8	12	25	……
△	30	70	80	120	250	……

식 _____

☆	2	5	9	20	35	……
◇	16	40	72	160	280	……

식 _____

물음에 답하여 표를 완성하고 기호를 사용하여 식으로 나타내어 보세요.

문어의 수를 ○, 문어 다리의 수를 □이라고 할 때, 표를 완성하고 두 양 사이의 대응 관계를 식으로 나타내어 보세요.

문어의 수(마리)	l	3		12	l7	......
문어 다리의 수(개)	8	24	48	96		......

식 _____

토끼가 일정한 빠르기로 이동하는 데 걸린 시간을 △, 이동 거리를 ♡이라고 할 때, 표를 완성하고 두 양 사이의 대응 관계를 식으로 나타내어 보세요.

걸린 시간(분)	l	2	8	l0		......
이동 거리(m)	40	80	320		640	......

식 _____

■ 두 양 사이의 대응 관계를 기호를 사용하여 식으로 나타내어 보세요.

- 초콜릿 l개의 값은 100원입니다.
- 초콜릿의 수를 □, 초콜릿의 값을 ○이라고 합니다.

식 _____

- 개미 한 마리의 다리는 6개입니다.
- 개미의 수를 ◇, 개미 다리의 수를 △이라고 합니다.

식 _____

- 지하철이 l초에 25 m를 이동합니다.
- 지하철이 이동하는 데 걸린 시간을 ☆, 이동 거리를 □이라고 합니다.

식 _____

- 한 사람에게 빵을 2개씩 나누어 줍니다.
- 사람의 수를 ○, 빵의 수를 △이라고 합니다.

식 _____

기호가 나타내는 두 양을 찾아 이어 보세요.

수도꼭지에서 물이 1분에 12 L 나옵니다.

$\square \times 12 = \stackrel{\wedge}{\bowtie}$

□ •   • 물이 나온 시간

☆ •   • 물이 나온 양

한 사람이 방울토마토를 5개씩 먹습니다.

$\bigcirc \times 5 = \square$

◎ •   • 사람의 수

□ •   • 방울토마토의 수

한 사람에게 연필을 3자루씩 나누어 줍니다.

$\bigcirc \div 3 = \diamondsuit$

○ •   • 사람의 수

◇ •   • 연필의 수

■ 빈칸에 알맞은 수 또는 말을 써넣으세요.

꽃병 1개에 꽃이 6송이씩 꽂혀 있습니다. 꽃병의 수와 꽃의 수 사이의

대응 관계를 나타낸 식 $\bigcirc \times 6 = \stackrel{\wedge}{\rtimes}$에서

$\bigcirc$은 [   ], $\stackrel{\wedge}{\rtimes}$은 [   ]를 나타냅니다.

한 모둠에 학생이 4명씩 있습니다. 모둠의 수와 학생의 수 사이의

대응 관계를 나타낸 식 $\diamondsuit \div \boxed{} = \bigcirc$에서

$\diamondsuit$은 [   ], $\bigcirc$은 [   ]를 나타냅니다.

사슴 5마리의 뿔은 모두 10개입니다. 사슴의 수와 뿔의 수 사이의

대응 관계를 나타낸 식 $\triangle \times \boxed{} = \square$에서

$\triangle$은 [   ], $\square$은 [   ]를 나타냅니다.

그림과 같이 도서관에 탁자와 의자가 놓여 있습니다. 물음에 답하세요.

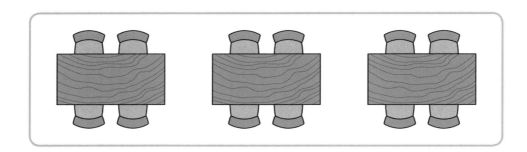

탁자의 수를 □, 의자의 수를 △이라고 할 때, 두 양 사이의 대응 관계를 기호를 사용하여 식으로 나타내어 보세요.

식 _____

의자가 **60**개라면 탁자는 몇 개인가요?

( )개

탁자마다 의자가 **2**개씩 더 있다면 탁자의 수(□)와 의자의 수(△) 사이의 대응 관계를 바르게 나타낸 식에 ◯표 하세요.

□×5=△   □×6=△   □×2=△   □×8=△

한 컵에 아이스크림이 80g씩 담겨 있습니다. 물음에 답하세요.

컵의 수를 ○, 아이스크림의 양을 ☆이라고 할 때, 두 양 사이의 대응 관계를 기호를 사용하여 식으로 나타내어 보세요.

식 _____

컵 30개에 담긴 아이스크림의 양은 몇 g인가요?

(　　　　)g

한 컵마다 아이스크림을 10g씩 더 담는다면 컵의 수(○)와 아이스크림의 양(☆) 사이의 대응 관계를 기호를 사용하여 식으로 나타내어 보세요.

식 _____

산책로를 걸은 거리

정운이가 쉬지 않고 일정한 빠르기로 공원 산책로를 걸은 거리를 조사하여 꺾은선그래프로 나타내었습니다. 표를 완성하고 빈칸에 기호를 사용한 식을 써넣으세요.

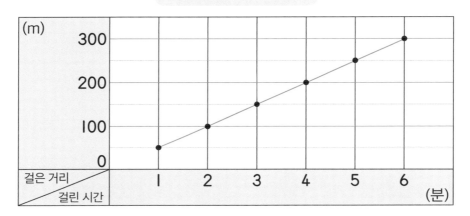

산책로를 걸은 거리

걸린 시간(분)	1	2	3	4	5	……
걸은 거리(m)	50					……

걸린 시간을 ○, 걸은 거리를 △이라고 할 때,

두 양 사이의 대응 관계를 식으로 나타내면 [   ]입니다.

링크 세 양의 대응 관계

표 완성하기

대응 관계를 나타낸 식을 보고 표를 완성해 보세요.

$$○ + 1 = △ \qquad △ + 3 = □ \qquad □ = ○ + 4$$

○	1	2	8	13		28	……
△	2	3		14			……
□	5	6	12		19	32	……

$$☆ × 2 = ◇ \qquad ◇ × 3 = ○ \qquad ○ ÷ 6 = ☆$$

☆	1	3	6	11		35	……
◇	2	6	12		40		……
○	6	18		66			……

$$□ - 2 = ♡ \qquad ♡ + 5 = △ \qquad □ = △ - 3$$

□	3	7		15	22		……
♡	1	5	7				……
△	6	10	12	18		50	……

표를 완성하여 대응 관계를 알아보세요.

○	1	2	4		10	15	‥‥‥
△	3	4	6	8		17	‥‥‥
□	9		12	14		23	‥‥‥

□	1	3	5	11	18		‥‥‥
☆	4	12	20		72		‥‥‥
△		6	10	22	36	46	‥‥‥

♡	5	6	12		35	50	‥‥‥
○	2		9	17	32	47	‥‥‥
□	6		13	21	36		‥‥‥

△	5	15		35		60	‥‥‥
○	1	3	6	7	10	12	‥‥‥
☆		30	60		100	120	‥‥‥

◩ 동생의 나이를 ○, 민재의 나이를 □, 형의 나이를 △이라고 할 때, 두 양 사이의 대응 관계를 기호를 사용하여 식으로 나타내고 빈칸에 알맞은 수를 써넣으세요.

동생의 나이(살)	5	6	12	15	19	⋯⋯
민재의 나이(살)	7	8	14	17	21	⋯⋯
형의 나이(살)	11	12	18	21	25	⋯⋯

동생의 나이와 민재의 나이 사이의 대응 관계	식

_____

민재의 나이와 형의 나이 사이의 대응 관계	식

_____

동생의 나이와 형의 나이 사이의 대응 관계	식

_____

민재가 25살일 때 동생과 형의 나이	➡

동생의 나이: ☐ 살

형의 나이: ☐ 살

식탁의 수를 □, 접시의 수를 ○, 의자의 수를 ☆이라고 할 때, 두 양 사이의 대응 관계를 기호를 사용하여 식으로 나타내고 빈칸에 알맞은 수를 써넣으세요.

식탁의 수(개)	2	3	6	10	13	……
접시의 수(개)	4	6	12	20	26	……
의자의 수(개)	12	18	36	60	78	……

식탁의 수와 접시의 수 사이의 대응 관계   식 _____

접시의 수와 의자의 수 사이의 대응 관계   식 _____

식탁의 수와 의자의 수 사이의 대응 관계   식 _____

식탁이 20개일 때 접시와 의자의 수 → 접시의 수: [   ]개

의자의 수: [   ]개

식으로 나타내기 (2)

별이 2개씩 그려진 카드를 누름 못으로 벽에 붙였습니다. 카드의 수를 □, 별의 수를 ☆, 누름 못의 수를 ○이라고 할 때, 두 양 사이의 대응 관계를 기호를 사용하여 식으로 나타내고 빈칸에 알맞은 수를 써넣으세요.

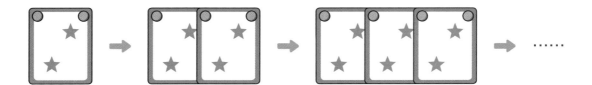

카드의 수(장)	1	2	3	4	5	……
별의 수(개)	2	4	6	8	10	……
누름 못의 수(개)	2	3	4	5	6	……

카드의 수와 별의 수 사이의 대응 관계   식 _____

카드의 수와 누름 못의 수 사이의 대응 관계   식 _____

별의 수가 20개일 때 카드의 수   ➡ ☐ 장

별의 수가 20개일 때 누름 못의 수   ➡ ☐ 개

통나무를 한 번 자를 때마다 **3**분이 걸립니다. 통나무를 자른 횟수를 △, 잘라진 도막의 수를 □, 자르는 데 걸린 시간을 ○이라고 할 때, 두 양 사이의 대응 관계를 기호를 사용하여 식으로 나타내고 빈칸에 알맞은 수를 써넣으세요.

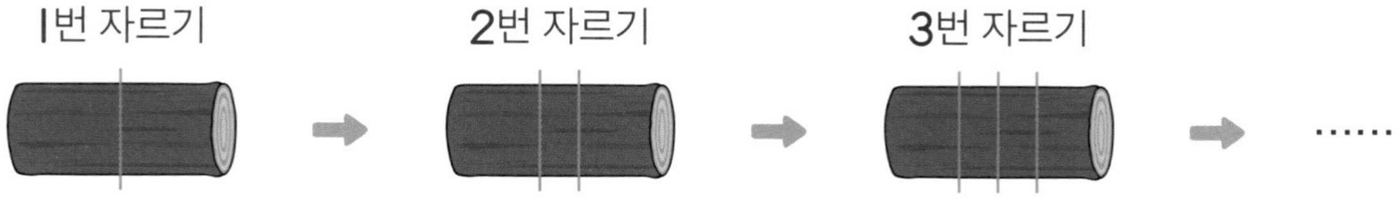

|번 자르기   2번 자르기   3번 자르기

자른 횟수(번)	1	2	3	4	5	......
도막의 수(도막)	2	3	4	5	6	......
걸린 시간(분)	3	6	9	12	15	......

자른 횟수와 도막의 수 사이의 대응 관계   식 _____

자른 횟수와 걸린 시간 사이의 대응 관계   식 _____

잘라진 도막이 10도막일 때 자른 횟수 ➡ ☐ 번

잘라진 도막이 10도막일 때 걸린 시간 ➡ ☐ 분

memo

형성평가

1 대응 관계를 나타낸 상황과 상황을 기호로 나타낸 식을 알맞게 이어 보세요.

| 연필꽂이 1개에 연필이 4자루씩 꽂혀 있습니다. | • | | • | ☆+4=△ |

| 유준이가 가진 연필의 수는 지호가 가진 연필의 수보다 4자루 더 많습니다. | • | | • | ☆×4=△ |

2 표를 완성하고 □과 ○ 사이의 대응 관계를 기호를 사용하여 식으로 나타내어 보세요.

□	1	2	3	6	11	16		······
○	6	7	8	11	16		44	······

식 _____

3 상자 하나에 과자가 12봉지 들어 있습니다. 상자의 수를 □, 과자의 수를 ♡이라고 할 때, 두 양 사이의 대응 관계를 기호를 사용하여 식으로 나타내어 보세요.

식 _____

※ 삼각형과 원으로 규칙적인 배열을 만들고 있습니다. 물음에 답하세요. (**4~5**)

4 삼각형의 수를 △, 원의 수를 ○이라고 할 때, 두 양 사이의 대응 관계를 기호를 사용하여 식으로 나타내어 보세요.

식 _____

5 삼각형이 **20**개일 때 필요한 원의 수는 몇 개일까요?

(   )개

6 형의 나이는 동생의 나이보다 **3**살 더 많습니다. 형의 나이와 동생의 나이 사이의 대응 관계를 바르게 설명한 것의 기호를 모두 써 보세요.

> ㉠ 형의 나이가 **6**살이라면 동생의 나이는 **9**살입니다.
> ㉡ 동생의 나이가 **15**살이라면 형의 나이는 **18**살입니다.
> ㉢ 동생의 나이를 ○, 형의 나이를 □이라고 할 때, 대응 관계는 ○＋**3**＝□입니다.
> ㉣ 대응 관계를 ☆－**3**＝△으로 나타낸다면 ☆은 동생의 나이, △은 형의 나이입니다.

(   )

형성평가 2회

1 자동차의 수를 □, 바퀴의 수를 ○이라고 할 때, 표를 완성하고 두 양 사이의 대응 관계를 기호를 사용하여 식으로 나타내어 보세요.

자동차의 수(대)	1	2	7	15		……
바퀴의 수(개)	4	8		60	124	……

식 ______________________

2 탁자 1개에 의자가 5개씩 놓여 있습니다. 탁자의 수를 ○, 의자의 수를 △이라고 할 때, 두 양 사이의 대응 관계를 나타낸 식을 찾아 모두 ○표 하세요.

○+5=△	△÷5=○	○×5=△	△−5=○

3 현아는 수아보다 나이가 3살 더 많습니다. 현아의 나이를 ☆, 수아의 나이를 ◇이라고 할 때, 두 양 사이의 대응 관계를 기호를 사용하여 식으로 나타내어 보세요.

식 ______________________

※ 한 사람에게 공책을 **3**권씩 나누어 주려고 합니다. 사람의 수와 공책의 수 사이의 대응 관계를 찾아 물음에 답하세요. (**4~6**)

4 사람의 수와 공책의 수 사이의 대응 관계를 ☆÷**3**＝○으로 나타내었습니다. 빈칸에 알맞은 기호를 써넣으세요.

　　　　□은 사람의 수, □은 공책의 수를 나타냅니다.

5 사람이 **30**명이라면 필요한 공책의 수는 몇 권일까요?

(　　　　)권

6 위의 그림에서 한 사람마다 공책을 **1**권씩 더 나누어 줍니다. 사람의 수를 △, 공책의 수를 □이라고 할 때, 두 양 사이의 대응 관계를 기호를 사용하여 식으로 나타내어 보세요.

식 _____

memo

초등 수학 핵심파트 집중 완성

교과특강

정답

초5

E 1

규칙과 대응

사고력
문제해결력

측정 · 규칙성
자료와 가능성

에듀히어로
Edu HERO

정답

....

E1

규칙과 대응

1주차: 덧셈 대응 관계

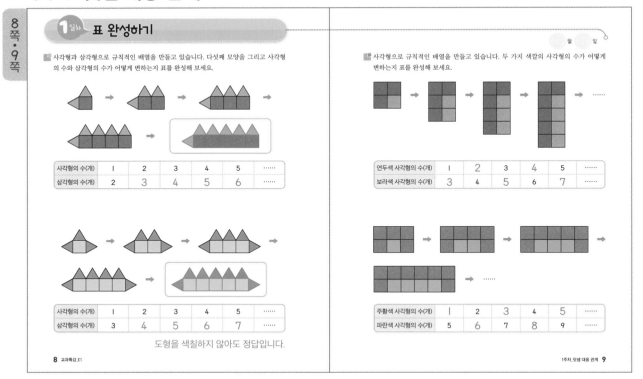

도형을 색칠하지 않아도 정답입니다.

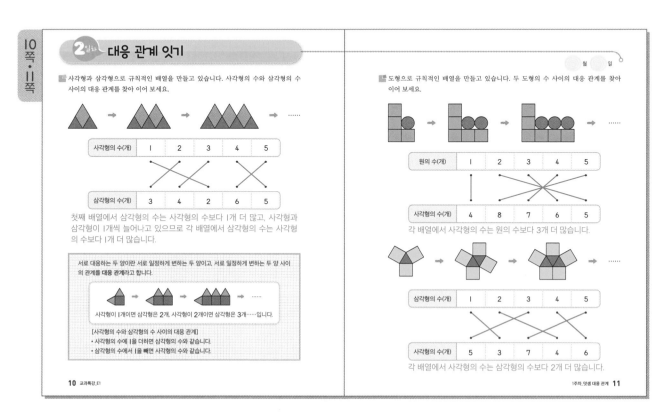

첫째 배열에서 삼각형의 수는 사각형의 수보다 1개 더 많고, 사각형과 삼각형이 1개씩 늘어나고 있으므로 각 배열에서 삼각형의 수는 사각형의 수보다 1개 더 많습니다.

서로 대응하는 두 양이란 서로 일정하게 변하는 두 양이고, 서로 일정하게 변하는 두 양 사이의 관계를 대응 관계라고 합니다.

사각형이 1개이면 삼각형은 2개, 사각형이 2개이면 삼각형은 3개……입니다.

[사각형의 수와 삼각형의 수 사이의 대응 관계]
· 사각형의 수에 1을 더하면 삼각형의 수와 같습니다.
· 삼각형의 수에서 1을 빼면 사각형의 수와 같습니다.

각 배열에서 사각형의 수는 원의 수보다 3개 더 많습니다.

각 배열에서 사각형의 수는 삼각형의 수보다 2개 더 많습니다.

3일차 대응 관계 설명하기

■ 삼각형과 사각형으로 규칙적인 배열을 만들고 있습니다. 삼각형의 수와 사각형의 수 사이의 대응 관계를 찾아 표를 완성하고 빈칸에 알맞은 수를 써넣으세요.

삼각형의 수(개)	l	2	3	4	5	……	
사각형의 수(개)	3	4	5	6	7	……	+2

삼각형의 수에 **2** 을/를 더하면 사각형의 수와 같습니다.

삼각형이 6개일 때 필요한 사각형의 수는 **8** 개입니다.
6에 2를 더하면 8입니다.

삼각형이 10개일 때 필요한 사각형의 수는 **12** 개입니다.
10에 2를 더하면 12입니다.

사각형의 수에서 **2** 을/를 빼면 삼각형의 수와 같습니다.

사각형이 15개일 때 필요한 삼각형의 수는 **13** 개입니다.
15에서 2를 빼면 13입니다.

■ 나무 막대를 규칙적으로 자르고 있습니다. 자른 횟수와 잘라진 도막의 수 사이의 대응 관계를 찾아 표를 완성하고 빈칸에 알맞은 수를 써넣으세요.

자른 횟수(번)	l	2	3	4	5	……	
도막의 수(도막)	2	3	4	5	6	……	+l

자른 횟수에 **l** 을/를 더하면 도막의 수와 같습니다.

나무 막대를 7번 자르면 잘라진 도막의 수는 **8** 도막입니다.
7에 l을 더하면 8입니다.

나무 막대를 9번 자르면 잘라진 도막의 수는 **10** 도막입니다.
9에 l을 더하면 10입니다.

도막의 수에서 **l** 을/를 빼면 자른 횟수와 같습니다.

잘라진 도막의 수가 12도막이라면 자른 횟수는 **ll** 번입니다.
12에서 l을 빼면 11입니다.

4일차 대응 관계 추론하기 (1)

■ 색종이에 누름 못을 꽂아서 벽에 붙이고 있습니다. 물음에 답하세요.

표를 완성하여 색종이의 수와 누름 못의 수 사이의 대응 관계를 알아보세요.

색종이의 수(장)	l	2	3	4	5	……	
누름 못의 수(개)	2	3	4	5	6	……	+l

색종이의 수와 누름 못의 수 사이의 대응 관계입니다. 빈칸에 알맞은 수를 써넣고 알맞은 말에 ○표 하세요.

색종이의 수에 **l** 을/를 (더하면 , 빼면) 누름 못의 수와 같습니다.

색종이를 20장 붙이려면 누름 못은 몇 개 필요한가요?

20에 l을 더하면 21입니다.

(**21**)개

■ 서현이가 규칙적으로 직사각형을 그리고 있습니다. 물음에 답하세요.

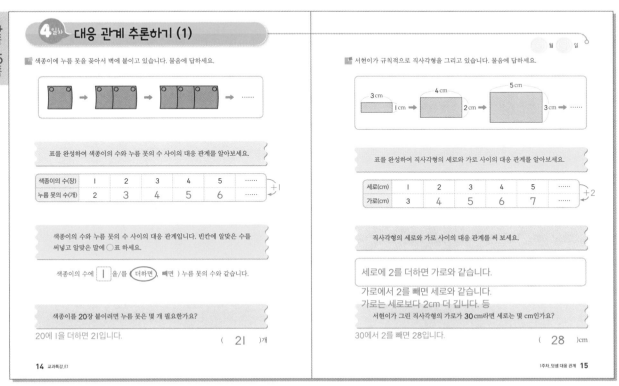

표를 완성하여 직사각형의 세로와 가로 사이의 대응 관계를 알아보세요.

세로(cm)	l	2	3	4	5	……	
가로(cm)	3	4	5	6	7	……	+2

직사각형의 세로와 가로 사이의 대응 관계를 써 보세요.

세로에 2를 더하면 가로와 같습니다.

가로에서 2를 빼면 세로와 같습니다.
가로는 세로보다 2cm 더 깁니다. 등

서현이가 그린 직사각형의 가로가 30cm라면 세로는 몇 cm인가요?

30에서 2를 빼면 28입니다.

(**28**)cm

5일차 대응 관계 추론하기 (2)

월 일

■ 물음에 답하세요.

표를 완성하여 석우의 나이와 동생의 나이 사이의 대응 관계를 알아보고 대응 관계를 써 보세요.

석우의 나이(살)	11	12	13	14	15	......
동생의 나이(살)	5	6	7	8	9	......

⌐6

석우의 나이에서 6을 빼면 동생의 나이와 같습니다.

동생의 나이에 6을 더하면 석우의 나이와 같습니다.
석우의 나이는 동생의 나이보다 6살 더 많습니다. 등

선아와 지후가 매일 100원씩 모으고 있습니다. 표를 완성하여 선아가 모은 돈과 지후가 모은 돈 사이의 대응 관계를 알아보고 대응 관계를 써 보세요.

선아가 모은 돈(원)	500	600	700	800	900	......
지후가 모은 돈(원)	1000	1100	1200	1300	1400	......

⌐+500

선아가 모은 돈에 500을 더하면 지후가 모은 돈과 같습니다.

지후가 모은 돈에서 500을 빼면 선아가 모은 돈과 같습니다.
지후가 모은 돈은 선아가 모은 돈보다 500원 더 많습니다. 등

16 교과특강_E1

■ 물음에 답하세요.

서울이 오후 1시일 때 하노이는 오전 11시입니다. 서울이 오전 6시일 때 하노이는 몇 시일까요?

서울의 시각	오후 1시	오후 2시	오후 3시	오후 4시	......
하노이의 시각	오전 11시	낮 12시	오후 1시	오후 2시	......

⌐2시간

(오전 오후) (4)시

서울의 시각에서 2시간을 빼면 하노이의 시각과 같습니다.
따라서 서울이 오전 6시일 때 하노이는 오전 4시입니다.

해솔이가 1살일 때 2013년이었습니다. 해솔이가 10살일 때는 몇 년이었을까요?

해솔이의 나이(살)	1	2	3	4	......
연도(년)	2013	2014	2015	2016	......

⌐+2012

(2022)년

해솔이의 나이에 2012를 더하면 연도와 같습니다.
따라서 해솔이가 10살일 때는 2022년이었습니다.

생각 + 더하기

배열 순서와 대응 1

배열 순서에 맞게 수 카드를 놓고 사각형 조각으로 규칙적인 배열을 만들고 있습니다. 배열 순서와 사각형의 수 사이의 대응 관계를 표를 이용하여 알아보고 빈칸에 알맞은 수를 써넣으세요.

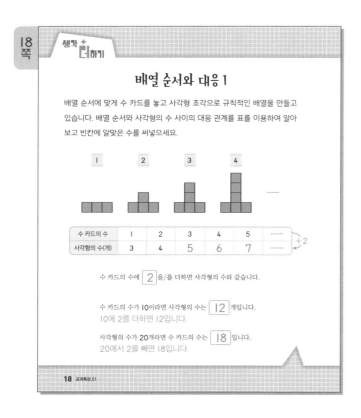

수 카드의 수	1	2	3	4	5	......
사각형의 수(개)	3	4	5	6	7	......

⌐+2

수 카드의 수에 2 을/를 더하면 사각형의 수와 같습니다.

수 카드의 수가 10이라면 사각형의 수는 12 개입니다.
10에 2를 더하면 12입니다.

사각형의 수가 20개라면 수 카드의 수는 18 입니다.
20에서 2를 빼면 18입니다.

18 교과특강_E1

2주차: 곱셈 대응 관계

1일차 표 완성하기

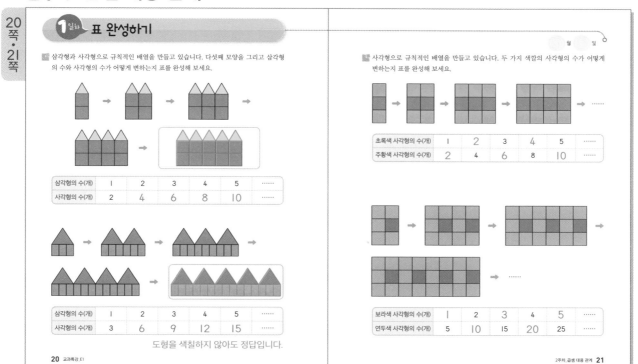

■ 삼각형과 사각형으로 규칙적인 배열을 만들고 있습니다. 다섯째 모양을 그리고 삼각형의 수와 사각형의 수가 어떻게 변하는지 표를 완성해 보세요.

삼각형의 수(개)	1	2	3	4	5	......
사각형의 수(개)	2	4	6	8	10	......

삼각형의 수(개)	1	2	3	4	5	......
사각형의 수(개)	3	6	9	12	15	......

도형을 색칠하지 않아도 정답입니다.

20 교과특강_E1

■ 사각형으로 규칙적인 배열을 만들고 있습니다. 두 가지 색깔의 사각형의 수가 어떻게 변하는지 표를 완성해 보세요.

초록색 사각형의 수(개)	1	2	3	4	5	......
주황색 사각형의 수(개)	2	4	6	8	10	......

보라색 사각형의 수(개)	1	2	3	4	5	......
연두색 사각형의 수(개)	5	10	15	20	25	......

2주차. 곱셈 대응 관계 21

2일차 대응 관계 잇기

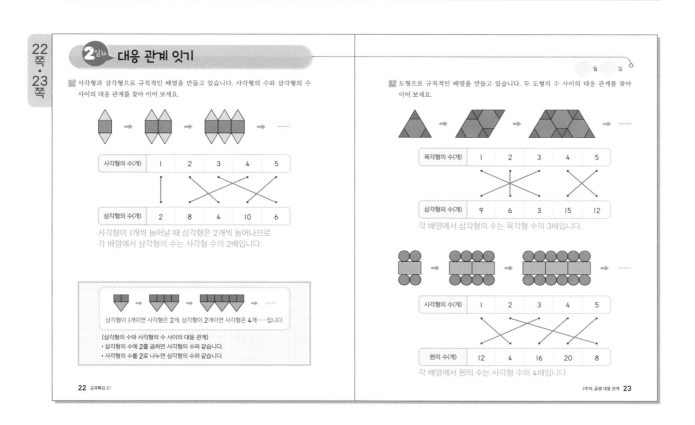

■ 사각형과 삼각형으로 규칙적인 배열을 만들고 있습니다. 사각형의 수와 삼각형의 수 사이의 대응 관계를 찾아 이어 보세요.

사각형의 수(개)	1	2	3	4	5
삼각형의 수(개)	2	8	4	10	6

사각형이 1개씩 늘어날 때 삼각형은 2개씩 늘어나므로 각 배열에서 삼각형의 수는 사각형 수의 2배입니다.

삼각형이 1개이면 사각형은 2개, 삼각형이 2개이면 사각형은 4개......입니다.

[삼각형의 수와 사각형의 수 사이의 대응 관계]
· 삼각형의 수에 2를 곱하면 사각형의 수와 같습니다.
· 사각형의 수를 2로 나누면 삼각형의 수와 같습니다.

22 교과특강_E1

■ 도형으로 규칙적인 배열을 만들고 있습니다. 두 도형의 수 사이의 대응 관계를 찾아 이어 보세요.

육각형의 수(개)	1	2	3	4	5
삼각형의 수(개)	9	6	3	15	12

각 배열에서 삼각형의 수는 육각형 수의 3배입니다.

사각형의 수(개)	1	2	3	4	5
원의 수(개)	12	4	16	20	8

각 배열에서 원의 수는 사각형 수의 4배입니다.

2주차. 곱셈 대응 관계 23

3일차 대응 관계 설명하기

월 일

■ 사각형과 삼각형으로 규칙적인 배열을 만들고 있습니다. 사각형의 수와 삼각형의 수 사이의 대응 관계를 찾아 표를 완성하고 빈칸에 알맞은 수를 써넣으세요.

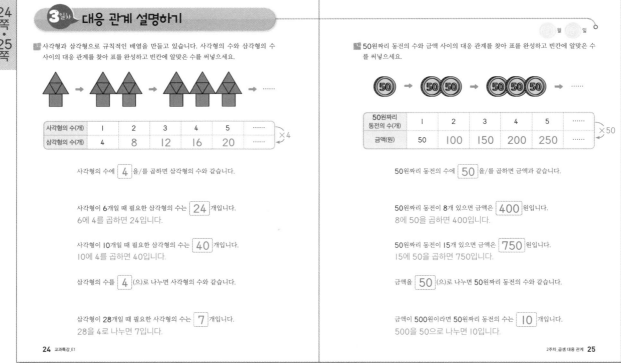

사각형의 수(개)	1	2	3	4	5	......
삼각형의 수(개)	4	8	12	16	20	......

×4

사각형의 수에 [4] 을/를 곱하면 삼각형의 수와 같습니다.

사각형이 6개일 때 필요한 삼각형의 수는 [24] 개입니다.
6에 4를 곱하면 24입니다.

사각형이 10개일 때 필요한 삼각형의 수는 [40] 개입니다.
10에 4를 곱하면 40입니다.

삼각형의 수를 [4] (으)로 나누면 사각형의 수와 같습니다.

삼각형이 28개일 때 필요한 사각형의 수는 [7] 개입니다.
28을 4로 나누면 7입니다.

24 교과특강_E1

■ 50원짜리 동전의 수와 금액 사이의 대응 관계를 찾아 표를 완성하고 빈칸에 알맞은 수를 써넣으세요.

50원짜리 동전의 수(개)	1	2	3	4	5	......
금액(원)	50	100	150	200	250	......

×50

50원짜리 동전의 수에 [50] 을/를 곱하면 금액과 같습니다.

50원짜리 동전이 8개 있으면 금액은 [400] 원입니다.
8에 50을 곱하면 400입니다.

50원짜리 동전이 15개 있으면 금액은 [750] 원입니다.
15에 50을 곱하면 750입니다.

금액을 [50] (으)로 나누면 50원짜리 동전의 수와 같습니다.

금액이 500원이라면 50원짜리 동전의 수는 [10] 개입니다.
500을 50으로 나누면 10입니다.

2주차_급셈 대응 관계 25

4일차 대응 관계 추론하기 (1)

월 일

■ 성냥개비를 이용하여 삼각형을 만들고 있습니다. 물음에 답하세요.

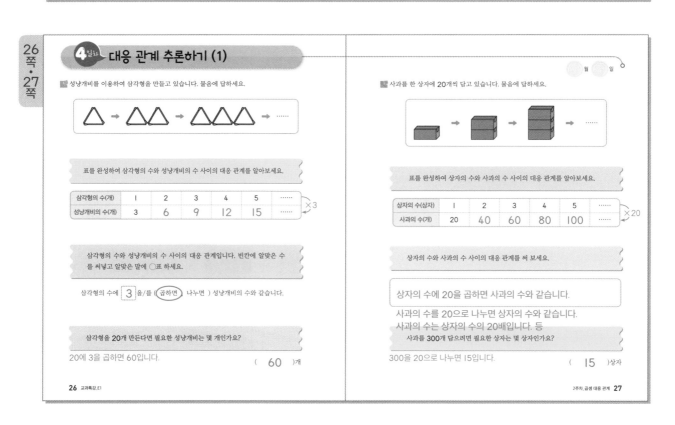

표를 완성하여 삼각형의 수와 성냥개비의 수 사이의 대응 관계를 알아보세요.

삼각형의 수(개)	1	2	3	4	5	......
성냥개비의 수(개)	3	6	9	12	15	......

×3

삼각형의 수와 성냥개비의 수 사이의 대응 관계입니다. 빈칸에 알맞은 수를 써넣고 알맞은 말에 ○표 하세요.

삼각형의 수에 [3] 을/를 ((곱하면) 나누면) 성냥개비의 수와 같습니다.

삼각형을 20개 만든다면 필요한 성냥개비는 몇 개인가요?

20에 3을 곱하면 60입니다.   (60)개

26 교과특강_E1

■ 사과를 한 상자에 20개씩 담고 있습니다. 물음에 답하세요.

표를 완성하여 상자의 수와 사과의 수 사이의 대응 관계를 알아보세요.

상자의 수(상자)	1	2	3	4	5	......
사과의 수(개)	20	40	60	80	100	......

×20

상자의 수와 사과의 수 사이의 대응 관계를 써 보세요.

상자의 수에 20을 곱하면 사과의 수와 같습니다.

사과의 수를 20으로 나누면 상자의 수와 같습니다.
사과의 수는 상자의 수의 20배입니다. 등

사과를 300개 담으려면 필요한 상자는 몇 상자인가요?

300을 20으로 나누면 15입니다.   (15)상자

2주차_급셈 대응 관계 27

5일차 대응 관계 추론하기 (2)

■ 물음에 답하세요.

식탁 1개에 의자가 6개씩 놓여 있습니다. 표를 완성하여 식탁의 수와 의자
의 수 사이의 대응 관계를 알아보고 대응 관계를 써 보세요.

식탁의 수(개)	1	2	3	4	5	······	×6
의자의 수(개)	6	12	18	24	30	······	

식탁의 수에 6을 곱하면 의자의 수와 같습니다.

의자의 수를 6으로 나누면 식탁의 수와 같습니다.
의자의 수는 식탁의 수의 6배입니다. 등

고속 열차가 1초에 80m를 이동합니다. 표를 완성하여 걸린 시간과 이동
거리 사이의 대응 관계를 알아보고 대응 관계를 써 보세요.

걸린 시간(초)	1	2	3	4	5	······	×80
이동 거리(m)	80	160	240	320	400	······	

걸린 시간에 80을 곱하면 이동 거리와 같습니다.

이동 거리를 80으로 나누면 걸린 시간과 같습니다.
이동 거리는 걸린 시간의 80배입니다. 등

■ 물음에 답하세요.

수도꼭지에서 물이 1분에 9L씩 나옵니다. 수도꼭지에서 10분 동안 나온
물의 양은 몇 L일까요?

물이 나온 시간(분)	1	2	3	4	······	×9
물이 나온 양(L)	9	18	27	36	······	

(90)L

물이 나온 시간에 9를 곱하면 물이 나온 양과 같습니다.
따라서 10분 동안 나온 물의 양은 90L입니다.

소의 다리는 4개입니다. 어느 농장에 있는 소의 다리가 100개라면 농장에
있는 소는 몇 마리일까요?

소의 수(마리)	1	2	3	4	······	×4
다리의 수(개)	4	8	12	16	······	

(25)마리

다리의 수를 4로 나누면 소의 수와 같습니다.
따라서 소의 다리가 100개라면 소는 25마리입니다.

생각 + 더하기

배열 순서와 대응 2

배열 순서에 맞게 수 카드를 놓고 사각형 조각으로 규칙적인 배열을 만들고
있습니다. 배열 순서와 사각형의 수 사이의 대응 관계를 표를 이용하여 알아
보고 빈칸에 알맞은 수를 써넣으세요.

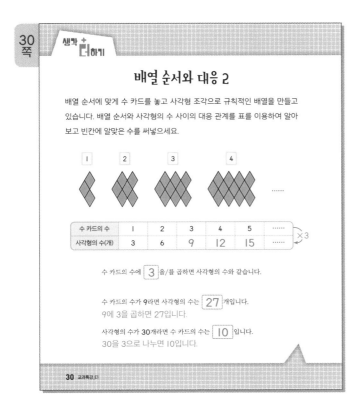

수 카드의 수	1	2	3	4	5	······	×3
사각형의 수(개)	3	6	9	12	15	······	

수 카드의 수에 3 을/를 곱하면 사각형의 수와 같습니다.

수 카드의 수가 9라면 사각형의 수는 27 개입니다.
9에 3을 곱하면 27입니다.

사각형의 수가 30개라면 수 카드의 수는 10 입니다.
30을 3으로 나누면 10입니다.

3주차: 덧셈식과 대응

1일차 기호 사용하기

표를 보고 빈칸에 알맞은 수 또는 말을 써넣으세요.

도화지의 수(장)	1	2	5	8	10	……
누름 못의 수(개)	2	3	6	9	11	……

→ +1

도화지의 수에 $\boxed{1}$ 을/를 더하면 누름 못의 수와 같습니다. 두 양 사이의 대응 관계를

식으로 나타내면 $\boxed{\text{도화지의 수}} + \boxed{1} = \boxed{\text{누름 못의 수}}$ 입니다.

지우개의 수(개)	2	4	6	10	13	……
연필의 수(자루)	4	6	8	12	15	……

→ +2

지우개의 수에 $\boxed{2}$ 을/를 더하면 연필의 수와 같습니다. 두 양 사이의 대응 관계를

식으로 나타내면 $\boxed{\text{지우개의 수}} + \boxed{2} = \boxed{\text{연필의 수}}$ 입니다.

동생의 나이(살)	5	7	11	14	16	……
언니의 나이(살)	9	11	15	18	20	……

→ +4

언니의 나이에서 $\boxed{4}$ 을/를 빼면 동생의 나이와 같습니다. 두 양 사이의 대응 관계를

식으로 나타내면 $\boxed{\text{언니의 나이}} - \boxed{4} = \boxed{\text{동생의 나이}}$ 입니다.

정답의 단어와 의미가 같으면 정답입니다.

월 일

표를 완성하여 대응 관계를 알아보고 빈칸에 알맞은 수 또는 기호를 써넣으세요.

자른 횟수(번)	1	3	4	10	20	……
조각의 수(개)	2	4	5	11	21	……

→ +1

자른 횟수를 □, 조각의 수를 ☆이라고 할 때, (색연필로 표시한 한 양에서 다른 양으로 변화가 진달되고 있고 두 양의 대응 관계에 규칙이 맞추어져 합니다)

두 양 사이의 대응 관계를 식으로 나타내면 $\boxed{□} + 1 = ☆$입니다.

□과 ☆ 중 더 큰 수를 나타내는 것은 ☆입니다.

현우의 나이(살)	4	7	10	12	16	……
어머니의 나이(살)	34	37	40	42	46	……

→ +30

현우의 나이를 ○, 어머니의 나이를 △이라고 할 때, (덧셈식으로 나타낼 수 있는 대응 관계는 뺄셈식으로도 나타낼 수 있습니다)

두 양 사이의 대응 관계를 식으로 나타내면 △ − $\boxed{30}$ = $\boxed{○}$ 입니다.

○과 △ 중 더 큰 수를 나타내는 것은 △입니다.

> 두 양 사이의 대응 관계를 식으로 간단하게 나타낼 때는 두 양을 나타내는 단어를 □, △, ☆, ○ 등과 같은 기호로 표현할 수 있습니다. 기호를 사용할 때는 어떤 양이 어떤 기호를 나타내는지 잘 살펴보아야 합니다.
> 대응 관계를 식으로 나타내면 큰 수에 대응하는 값을 구하기 편리합니다.

2일차 기호와 식

두 양 사이의 대응 관계를 식으로 바르게 나타낸 것에 모두 ○표 하세요.

□	1	5	8	11	19	……
○	4	8	11	14	22	……

+3

(○+3=○) □+4=○
○−2=□ (○−3=□)

☆	1	10	15	23	40	……
♡	6	15	20	28	45	……

+5

☆+6=♡ (☆+5=♡)
♡−5=☆ ♡−6=☆

○	11	16	25	50	63	……
△	18	23	32	57	70	……

+7

(○+7=△) ○−7=△
(△−7=○) △+7=○

△	4	8	12	22	30	……
◇	14	18	22	32	40	……

+10

△−10=◇ (△+10=◇)
◇−10=△ ◇+10=△

월 일

두 양 사이의 대응 관계를 기호를 사용하여 식으로 나타내어 보세요.

○	1	2	5	9	10	……
◇	5	6	9	13	14	……

+4

식 ○+4=◇
또는 ◇−4=○

♡	3	5	7	11	15	……
□	9	11	13	17	21	……

+6

식 ♡+6=□
또는 □−6=♡

△	10	11	16	20	30	……
☆	21	22	27	31	41	……

+11

식 △+11=☆
또는 ☆−11=△

○	5	10	15	21	34	……
♡	14	19	24	30	43	……

+9

식 ○+9=♡
또는 ♡−9=○

□	7	11	12	20	22	……
△	27	31	32	40	42	……

+20

또는 △−20=□
식 □+20=△

덧셈식에서 더해지는 기호와 더하는 수를 서로 바꾸어 쓸 수 있고,
◇=○+4, ○=◇−4와 같이 식의 왼쪽과 오른쪽을 바꾸어 써도 정답입니다.

3일차 식으로 나타내기

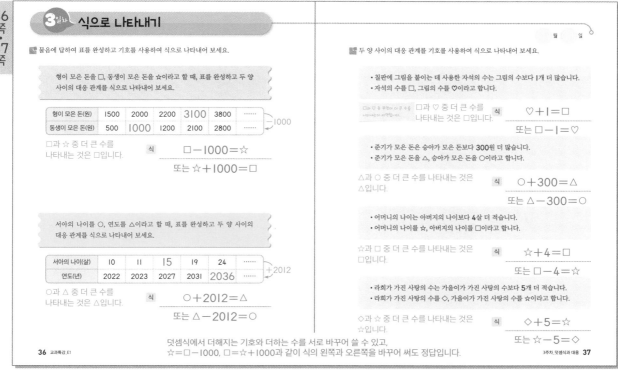

물음에 답하여 표를 완성하고 기호를 사용하여 식으로 나타내어 보세요.

> 형이 모은 돈을 □, 동생이 모은 돈을 ☆이라고 할 때, 표를 완성하고 두 양 사이의 대응 관계를 식으로 나타내어 보세요.

| 형이 모은 돈(원) | 1500 | 2000 | 2200 | 3100 | 3800 | …… |
| 동생이 모은 돈(원) | 500 | 1000 | 1200 | 2100 | 2800 | …… |

−1000

□과 ☆ 중 더 큰 수를 나타내는 것은 □입니다.

식 □−1000=☆

또는 ☆+1000=□

> 서아의 나이를 ○, 연도를 △이라고 할 때, 표를 완성하고 두 양 사이의 대응 관계를 식으로 나타내어 보세요.

| 서아의 나이(살) | 10 | 11 | 15 | 19 | 24 | …… |
| 연도(년) | 2022 | 2023 | 2027 | 2031 | 2036 | …… |

+2012

○과 △ 중 더 큰 수를 나타내는 것은 △입니다.

식 ○+2012=△

또는 △−2012=○

두 양 사이의 대응 관계를 기호를 사용하여 식으로 나타내어 보세요.

> • 칠판에 그림을 붙이는 데 사용한 자석의 수는 그림의 수보다 1개 더 많습니다.
> • 자석의 수를 □, 그림의 수를 ♡이라고 합니다.

□과 ♡ 중 더 큰 수를 나타내는 것은 □입니다.

식 ♡+1=□

또는 □−1=♡

> • 준기가 모은 돈은 승아가 모은 돈보다 300원 더 많습니다.
> • 준기가 모은 돈을 △, 승아가 모은 돈을 ○이라고 합니다.

△과 ○ 중 더 큰 수를 나타내는 것은 △입니다.

식 ○+300=△

또는 △−300=○

> • 어머니의 나이는 아버지의 나이보다 4살 더 적습니다.
> • 어머니의 나이를 ☆, 아버지의 나이를 □이라고 합니다.

☆과 □ 중 더 큰 수를 나타내는 것은 □입니다.

식 ☆+4=□

또는 □−4=☆

> • 라희가 가진 사탕의 수는 가을이가 가진 사탕의 수보다 5개 더 적습니다.
> • 라희가 가진 사탕의 수를 ◇, 가을이가 가진 사탕의 수를 ☆이라고 합니다.

◇과 ☆ 중 더 큰 수를 나타내는 것은 ☆입니다.

식 ◇+5=☆

또는 ☆−5=◇

덧셈식에서 더해지는 기호와 더하는 수를 서로 바꾸어 쓸 수 있고,
☆=□−1000, □=☆+1000과 같이 식의 왼쪽과 오른쪽을 바꾸어 써도 정답입니다.

4일차 두 양 찾기

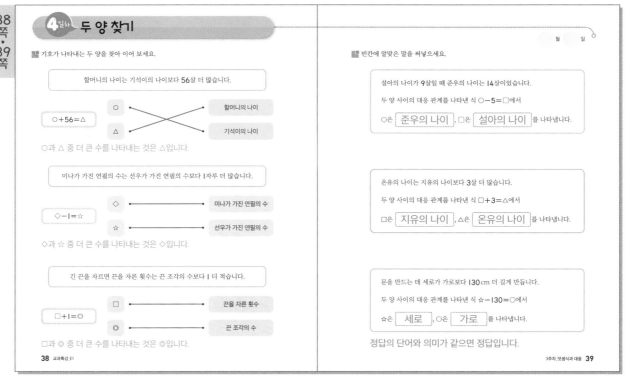

기호가 나타내는 두 양을 찾아 이어 보세요.

> 할머니의 나이는 기석이의 나이보다 56살 더 많습니다.

○+56=△

○ — 할머니의 나이
△ — 기석이의 나이

○과 △ 중 더 큰 수를 나타내는 것은 △입니다.

> 미나가 가진 연필의 수는 선우가 가진 연필의 수보다 1자루 더 많습니다.

◇−1=☆

◇ — 미나가 가진 연필의 수
☆ — 선우가 가진 연필의 수

◇과 ☆ 중 더 큰 수를 나타내는 것은 ◇입니다.

> 긴 끈을 자르면 끈을 자른 횟수는 끈 조각의 수보다 1 더 적습니다.

□+1=◎

□ — 끈을 자른 횟수
◎ — 끈 조각의 수

□과 ◎ 중 더 큰 수를 나타내는 것은 ◎입니다.

빈칸에 알맞은 말을 써넣으세요.

> 설아의 나이가 9살일 때 준우의 나이는 14살이었습니다.
> 두 양 사이의 대응 관계를 나타낸 식 ○−5=□에서

○은 준우의 나이, □은 설아의 나이 를 나타냅니다.

> 온유의 나이는 지유의 나이보다 3살 더 많습니다.
> 두 양 사이의 대응 관계를 나타낸 식 □+3=△에서

□은 지유의 나이, △은 온유의 나이 를 나타냅니다.

> 문을 만드는 데 세로가 가로보다 130cm 더 길게 만듭니다.
> 두 양 사이의 대응 관계를 나타낸 식 ☆−130=○에서

☆은 세로, ○은 가로 를 나타냅니다.

정답의 단어와 의미가 같으면 정답입니다.

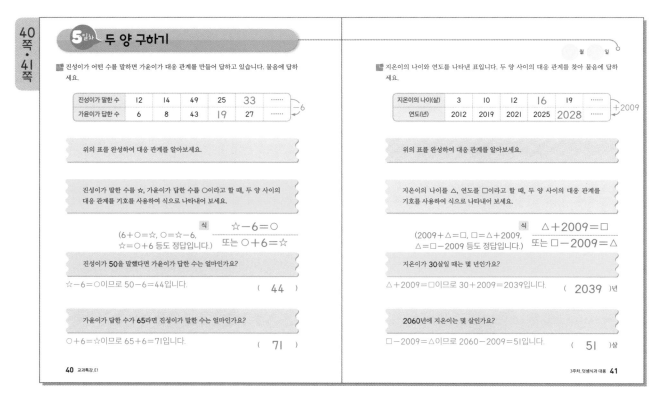

5일차 두 양 구하기

■ 진성이가 어떤 수를 말하면 가윤이가 대응 관계를 만들어 답하고 있습니다. 물음에 답하세요.

진성이가 말한 수	12	14	49	25	33	......
가윤이가 답한 수	6	8	43	19	27	......

-6

위의 표를 완성하여 대응 관계를 알아보세요.

진성이가 말한 수를 ☆, 가윤이가 답한 수를 ○이라고 할 때, 두 양 사이의 대응 관계를 기호를 사용하여 식으로 나타내어 보세요.

식 ☆−6=○

(6+○=☆, ○=☆−6, ☆=○+6 등도 정답입니다.) 또는 ○+6=☆

진성이가 50을 말했다면 가윤이가 답한 수는 얼마인가요?

☆−6=○이므로 50−6=44입니다. (44)

가윤이가 답한 수가 65라면 진성이가 말한 수는 얼마인가요?

○+6=☆이므로 65+6=71입니다. (71)

■ 지온이의 나이와 연도를 나타낸 표입니다. 두 양 사이의 대응 관계를 찾아 물음에 답하세요.

지온이의 나이(살)	3	10	12	16	19	......
연도(년)	2012	2019	2021	2025	2028	......

$+2009$

위의 표를 완성하여 대응 관계를 알아보세요.

지온이의 나이를 △, 연도를 □이라고 할 때, 두 양 사이의 대응 관계를 기호를 사용하여 식으로 나타내어 보세요.

식 △+2009=□

(2009+△=□, □=△+2009, △=□−2009 등도 정답입니다.) 또는 □−2009=△

지온이가 30살 때는 몇 년인가요?

△+2009=□이므로 30+2009=2039입니다. (2039)년

2060년에 지온이는 몇 살인가요?

□−2009=△이므로 2060−2009=51입니다. (51)살

생각 + 더하기

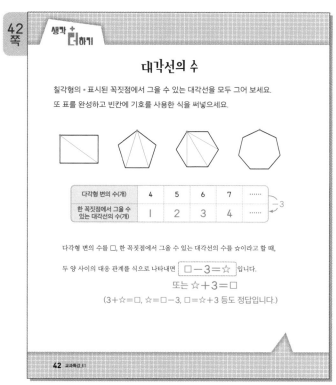

대각선의 수

칠각형의 • 표시된 꼭짓점에서 그을 수 있는 대각선을 모두 그어 보세요.
또 표를 완성하고 빈칸에 기호를 사용한 식을 써넣으세요.

다각형 변의 수(개)	4	5	6	7	......
한 꼭짓점에서 그을 수 있는 대각선의 수(개)	1	2	3	4	......

-3

다각형 변의 수를 □, 한 꼭짓점에서 그을 수 있는 대각선의 수를 ☆이라고 할 때,

두 양 사이의 대응 관계를 식으로 나타내면 □−3=☆ 입니다.

또는 ☆+3=□

(3+☆=□, ☆=□−3, □=☆+3 등도 정답입니다.)

4주차: 곱셈식과 대응

1일차 기호 사용하기

표를 보고 빈칸에 알맞은 수 또는 말을 써넣으세요.

탁자의 수(개)	1	2	3	5	7	……
의자의 수(개)	4	8	12	20	28	……

×4

탁자의 수에 **4** 을/를 곱하면 의자의 수와 같습니다. 두 양 사이의 대응 관계를
식으로 나타내면 탁자의 수 × **4** = 의자의 수 입니다.

모둠의 수(모둠)	1	3	5	8	11	……
학생의 수(명)	5	15	25	40	55	……

×5

모둠의 수에 **5** 을/를 곱하면 학생의 수와 같습니다. 두 양 사이의 대응 관계를
식으로 나타내면 모둠의 수 × **5** = 학생의 수 입니다.

책꽂이의 수(개)	1	3	4	8	12	……
책의 수(권)	10	30	40	80	120	……

×10

책의 수를 **10** (으)로 나누면 책꽂이의 수와 같습니다. 두 양 사이의 대응 관계를
식으로 나타내면 책의 수 ÷ **10** = 책꽂이의 수 입니다.
정답의 단어와 의미가 같으면 정답입니다.

표를 완성하여 대응 관계를 알아보고 빈칸에 알맞은 수 또는 기호를 써넣으세요.

세발자전거의 수(대)	1	2	5	10	12	……
바퀴의 수(개)	3	6	15	**30**	36	……

×3

세발자전거의 수를 ○, 바퀴의 수를 ◇이라고 할 때,
두 양 사이의 대응 관계를 식으로 나타내면 **○** × 3 = ◇입니다.
○과 ◇ 중 더 큰 수를 나타내는 것은 ◇입니다.

딸기의 수(개)	1	3	6	8	15	……
열량(킬로칼로리)	9	27	**54**	72	**135**	……

×9

딸기의 수를 □, 열량을 ☆이라고 할 때,
두 양 사이의 대응 관계를 식으로 나타내면 □ × **9** = ☆입니다.
□과 ☆ 중 더 큰 수를 나타내는 것은 ☆입니다.

시간(분)	2	4	5	11	20	……
나온 물의 양(L)	14	28	35	**77**	140	……

×7

시간을 △, 나온 물의 양을 ○이라고 할 때,
두 양 사이의 대응 관계를 식으로 나타내면 **○** ÷ 7 = △입니다.
△과 ○ 중 더 큰 수를 나타내는 것은 ○입니다.

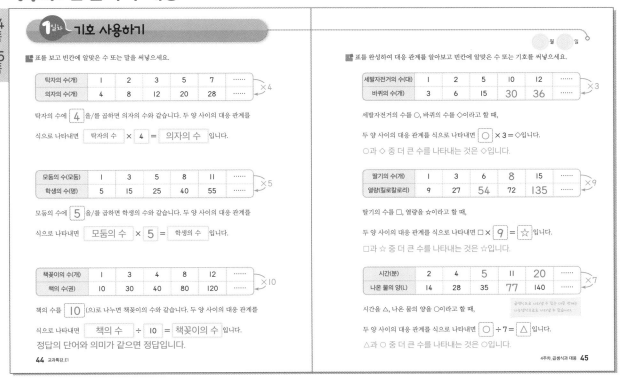

2일차 기호와 식

두 양 사이의 대응 관계를 식으로 바르게 나타낸 것에 모두 ○표 하세요.

×2	□	1	3	5	7	9	……
	○	2	6	10	14	18	……

□+2=○   (□×2=○)
(○÷2=□)   ○-2=□

×4	△	2	4	6	8	10	……
	☆	8	16	24	32	40	……

△×3=☆   (△×4=☆)
☆÷3=△   (☆÷4=△)

×6	◇	1	4	8	11	20	……
	♡	6	24	48	66	120	……

◇÷6=♡   ♡×6=◇
(◇×6=♡)   (♡÷6=◇)

×11	△	5	6	9	10	15	……
	□	55	66	99	110	165	……

(□÷11=△)   △÷11=□
□×11=△   (△×11=□)

두 양 사이의 대응 관계를 기호를 사용하여 식으로 나타내어 보세요.

×2	◇	1	2	6	8	10	……
	○	2	4	12	16	20	……

식 ◇×2=○
또는 ○÷2=◇

×5	♡	1	3	4	9	11	……
	☆	5	15	20	45	55	……

식 ♡×5=☆
또는 ☆÷5=♡

×3	□	2	6	10	15	22	……
	♡	6	18	30	45	66	……

식 □×3=♡
또는 ♡÷3=□

×10	○	3	7	8	12	25	……
	△	30	70	80	120	250	……

식 ○×10=△
또는 △÷10=○

또는 ◇÷8=☆

×8	☆	2	5	9	20	35	……
	◇	16	40	72	160	280	……

식 ☆×8=◇

곱셈식에서 곱해지는 기호와 곱하는 수를 서로 바꾸어 쓸 수 있고,
○=◇×2, ◇=○÷2와 같이 식의 왼쪽과 오른쪽을 바꾸어 써도 정답입니다.

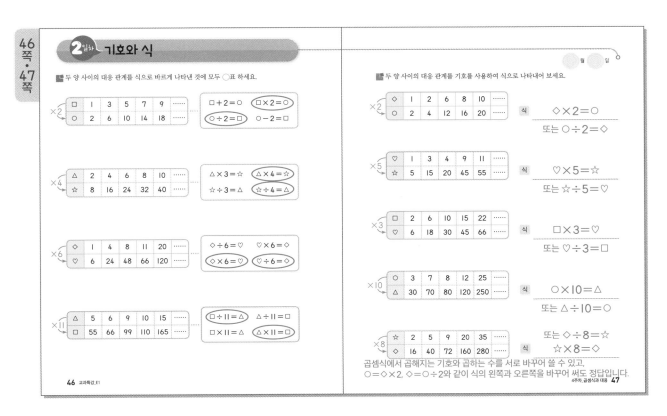

정답

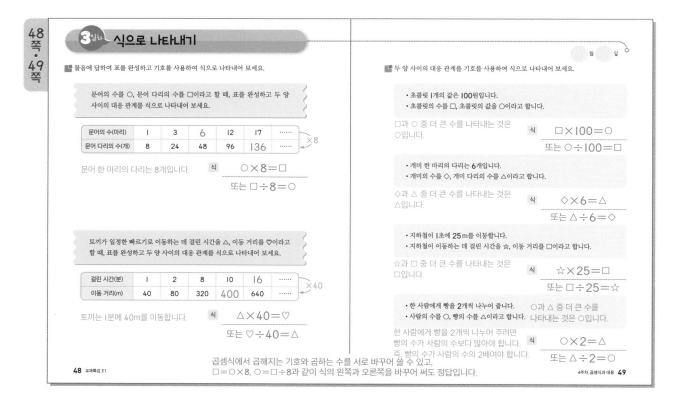

48쪽·49쪽

3일차 식으로 나타내기

■ 물음에 답하여 표를 완성하고 기호를 사용하여 식으로 나타내어 보세요.

문어의 수를 ○, 문어 다리의 수를 □이라고 할 때, 표를 완성하고 두 양 사이의 대응 관계를 식으로 나타내어 보세요.

문어의 수(마리)	1	3	6	12	17	……
문어 다리의 수(개)	8	24	48	96	136	……

×8

문어 한 마리의 다리는 8개입니다.

식 ○×8=□

또는 □÷8=○

토끼가 일정한 빠르기로 이동하는 데 걸린 시간을 △, 이동 거리를 ♡이라고 할 때, 표를 완성하고 두 양 사이의 대응 관계를 식으로 나타내어 보세요.

걸린 시간(분)	1	2	8	10	16	……
이동 거리(m)	40	80	320	400	640	……

×40

토끼는 1분에 40m를 이동합니다.

식 △×40=♡

또는 ♡÷40=△

곱셈식에서 곱해지는 기호와 곱하는 수를 서로 바꾸어 쓸 수 있고, □=○×8, ○=□÷8과 같이 식의 왼쪽과 오른쪽을 바꾸어 써도 정답입니다.

48 교과특강_E1

■ 두 양 사이의 대응 관계를 기호를 사용하여 식으로 나타내어 보세요.

월 일

• 초콜릿 1개의 값은 100원입니다.
• 초콜릿의 수를 □, 초콜릿의 값을 ○이라고 합니다.

□과 ○ 중 더 큰 수를 나타내는 것은 ○입니다.

식 □×100=○

또는 ○÷100=□

• 개미 한 마리의 다리는 6개입니다.
• 개미의 수를 ◇, 개미 다리의 수를 △이라고 합니다.

◇과 △ 중 더 큰 수를 나타내는 것은 △입니다.

식 ◇×6=△

또는 △÷6=◇

• 지하철이 1초에 25m를 이동합니다.
• 지하철이 이동하는 데 걸린 시간을 ☆, 이동 거리를 □이라고 합니다.

☆과 □ 중 더 큰 수를 나타내는 것은 □입니다.

식 ☆×25=□

또는 □÷25=☆

• 한 사람에게 빵을 2개씩 나누어 줍니다.
• 사람의 수를 ○, 빵의 수를 △이라고 합니다.

○과 △ 중 더 큰 수를 나타내는 것은 △입니다.

한 사람에게 빵을 2개씩 나누어 주려면 빵의 수가 사람의 수보다 많아야 합니다. 즉, 빵의 수가 사람의 수의 2배여야 합니다.

식 ○×2=△

또는 △÷2=○

4주차. 곱셈식과 대응 **49**

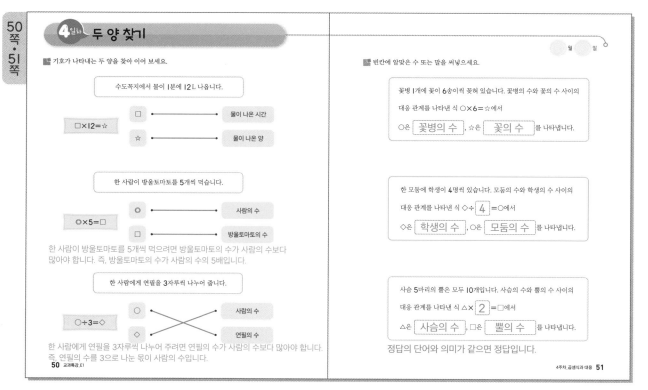

50쪽·51쪽

4일차 두 양 찾기

■ 기호가 나타내는 두 양을 찾아 이어 보세요.

수도꼭지에서 물이 1분에 12L 나옵니다.

□×12=☆

□ —— 물이 나온 시간
☆ —— 물이 나온 양

한 사람이 방울토마토를 5개씩 먹습니다.

◎×5=□

◎ —— 사람의 수
□ —— 방울토마토의 수

한 사람이 방울토마토를 5개씩 먹으려면 방울토마토의 수가 사람의 수보다 많아야 합니다. 즉, 방울토마토의 수가 사람의 수의 5배입니다.

한 사람에게 연필을 3자루씩 나누어 줍니다.

○÷3=◇

○ —— 사람의 수 (교차)
◇ —— 연필의 수 (교차)

한 사람에게 연필을 3자루씩 나누어 주려면 연필의 수가 사람의 수보다 많아야 합니다. 즉, 연필의 수를 3으로 나눈 몫이 사람의 수입니다.

50 교과특강_E1

■ 빈칸에 알맞은 수 또는 말을 써넣으세요.

월 일

꽃병 1개에 꽃이 6송이씩 꽂혀 있습니다. 꽃병의 수와 꽃의 수 사이의 대응 관계를 나타낸 식 ○×6=☆에서

○은 꽃병의 수 , ☆은 꽃의 수 를 나타냅니다.

한 모둠에 학생이 4명씩 있습니다. 모둠의 수와 학생의 수 사이의 대응 관계를 나타낸 식 ◇÷4=○에서

◇은 학생의 수 , ○은 모둠의 수 를 나타냅니다.

사슴 5마리의 뿔은 모두 10개입니다. 사슴의 수와 뿔의 수 사이의 대응 관계를 나타낸 식 △×2=□에서

△은 사슴의 수 , □은 뿔의 수 를 나타냅니다.

정답의 단어와 의미가 같으면 정답입니다.

4주차. 곱셈식과 대응 **51**

5일차 두 양 구하기

■ 그림과 같이 도서관에 탁자와 의자가 놓여 있습니다. 물음에 답하세요.

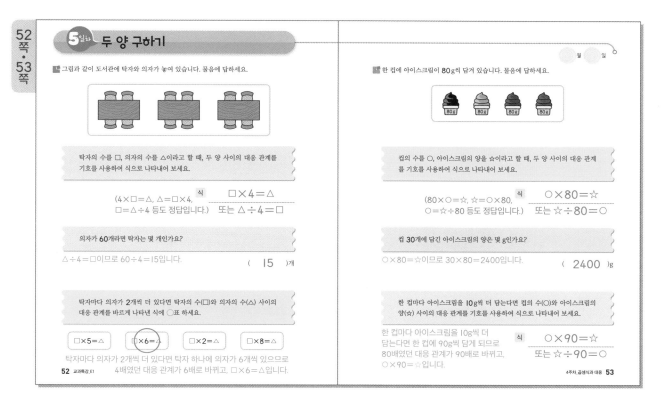

> 탁자의 수를 □, 의자의 수를 △이라고 할 때, 두 양 사이의 대응 관계를 기호를 사용하여 식으로 나타내어 보세요.

(4×□=△, △=□×4, 　식　 □×4=△
□=△÷4 등도 정답입니다.)　또는 △÷4=□

> 의자가 60개라면 탁자는 몇 개인가요?

△÷4=□이므로 60÷4=15입니다.

(15)개

> 탁자마다 의자가 2개씩 더 있다면 탁자의 수(□)와 의자의 수(△) 사이의 대응 관계를 바르게 나타낸 식에 ○표 하세요.

□×5=△　　(□×6=△)　　□×2=△　　□×8=△

탁자마다 의자가 2개씩 더 있다면 탁자 하나에 의자가 6개씩 있으므로
4배였던 대응 관계가 6배로 바뀌고, □×6=△입니다.

52 교과특강_E1

■ 한 컵에 아이스크림이 80g씩 담겨 있습니다. 물음에 답하세요.

> 컵의 수를 ○, 아이스크림의 양을 ☆이라고 할 때, 두 양 사이의 대응 관계를 기호를 사용하여 식으로 나타내어 보세요.

(80×○=☆, ☆=○×80, 　식　 ○×80=☆
○=☆÷80 등도 정답입니다.)　또는 ☆÷80=○

> 컵 30개에 담긴 아이스크림의 양은 몇 g인가요?

○×80=☆이므로 30×80=2400입니다.

(2400)g

> 한 컵마다 아이스크림을 10g씩 더 담는다면 컵의 수(○)와 아이스크림의 양(☆) 사이의 대응 관계를 기호를 사용하여 식으로 나타내어 보세요.

한 컵마다 아이스크림을 10g씩 더　　식　 ○×90=☆
담는다면 한 컵에 90g씩 담기게 되므로
80배였던 대응 관계가 90배로 바뀌고,　또는 ☆÷90=○
○×90=☆입니다.

4주차. 곱셈식과 대응 53

생각 + 더하기

산책로를 걸은 거리

정운이가 쉬지 않고 일정한 빠르기로 공원 산책로를 걸은 거리를 조사하여 꺾은선그래프로 나타내었습니다. 표를 완성하고 빈칸에 기호를 사용한 식을 써넣으세요.

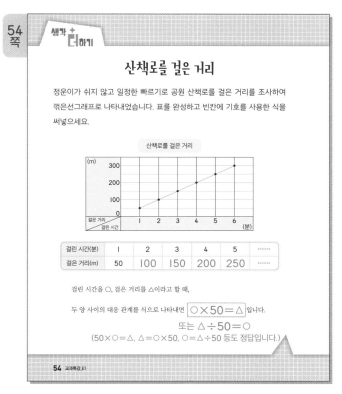

산책로를 걸은 거리

걸린 시간(분)	1	2	3	4	5	……
걸은 거리(m)	50	100	150	200	250	……

걸린 시간을 ○, 걸은 거리를 △이라고 할 때,

두 양 사이의 대응 관계를 식으로 나타내면 ○×50=△ 입니다.

또는 △÷50=○
(50×○=△, △=○×50, ○=△÷50 등도 정답입니다.)

54 교과특강_E1

링크: 세 양의 대응 관계

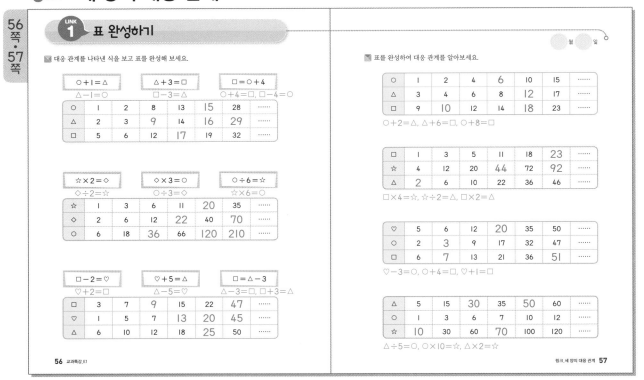

LINK 1 표 완성하기

56쪽·57쪽

☑ 대응 관계를 나타낸 식을 보고 표를 완성해 보세요.

○+1=△　　△+3=□　　□=○+4
△−1=○　　□−3=△　　○+4=□, □−4=○

○	1	2	8	13	15	28	⋯⋯
△	2	3	9	14	16	29	⋯⋯
□	5	6	12	17	19	32	⋯⋯

☆×2=◇　　◇×3=○　　○÷6=☆
◇÷2=☆　　○÷3=◇　　☆×6=○

☆	1	3	6	11	20	35	⋯⋯
◇	2	6	12	22	40	70	⋯⋯
○	6	18	36	66	120	210	⋯⋯

□−2=♡　　♡+5=△　　□=△−3
♡+2=□　　△−5=♡　　△−3=□, □+3=△

□	3	7	9	15	22	47	⋯⋯
♡	1	5	7	13	20	45	⋯⋯
△	6	10	12	18	25	50	⋯⋯

☑ 표를 완성하여 대응 관계를 알아보세요.

○	1	2	4	6	10	15	⋯⋯
△	3	4	6	8	12	17	⋯⋯
□	9	10	12	14	18	23	⋯⋯

○+2=△, △+6=□, ○+8=□

□	1	3	5	11	18	23	⋯⋯
☆	4	12	20	44	72	92	⋯⋯
△	2	6	10	22	36	46	⋯⋯

□×4=☆, ☆÷2=△, □×2=△

♡	5	6	12	20	35	50	⋯⋯
○	2	3	9	17	32	47	⋯⋯
□	6	7	13	21	36	51	⋯⋯

♡−3=○, ○+4=□, ♡+1=□

△	5	15	30	35	50	60	⋯⋯
○	1	3	6	7	10	12	⋯⋯
☆	10	30	60	70	100	120	⋯⋯

△÷5=○, ○×10=☆, △×2=☆

56 교과특강_E1

링크_세 양의 대응 관계 57

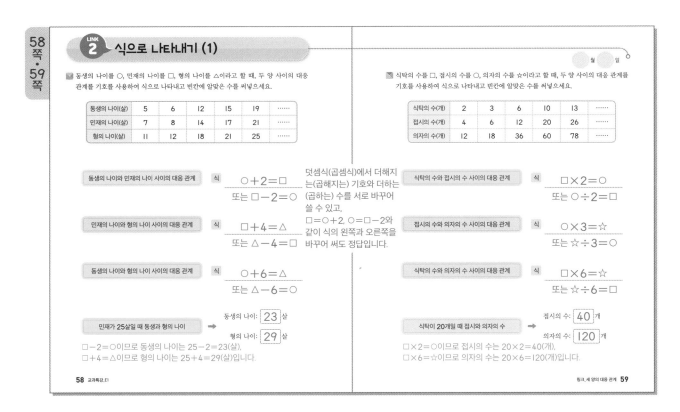

LINK 2 식으로 나타내기 (1)

58쪽·59쪽

☑ 동생의 나이를 ○, 민재의 나이를 □, 형의 나이를 △이라고 할 때, 두 양 사이의 대응 관계를 기호를 사용하여 식으로 나타내고 빈칸에 알맞은 수를 써넣으세요.

동생의 나이(살)	5	6	12	15	19	⋯⋯
민재의 나이(살)	7	8	14	17	21	⋯⋯
형의 나이(살)	11	12	18	21	25	⋯⋯

동생의 나이와 민재의 나이 사이의 대응 관계　식　○+2=□
또는 □−2=○

덧셈식(곱셈식)에서 더해지는(곱해지는) 기호와 더하는(곱하는) 수를 서로 바꾸어 쓸 수 있고, □=○+2, ○=□−2와 같이 식의 왼쪽과 오른쪽을 바꾸어 써도 정답입니다.

민재의 나이와 형의 나이 사이의 대응 관계　식　□+4=△
또는 △−4=□

동생의 나이와 형의 나이 사이의 대응 관계　식　○+6=△
또는 △−6=○

민재가 25살일 때 동생과 형의 나이　➡　동생의 나이: 23 살　형의 나이: 29 살

□−2=○이므로 동생의 나이는 25−2=23(살),
□+4=△이므로 형의 나이는 25+4=29(살)입니다.

☑ 식탁의 수를 □, 접시의 수를 ○, 의자의 수를 ☆이라고 할 때, 두 양 사이의 대응 관계를 기호를 사용하여 식으로 나타내고 빈칸에 알맞은 수를 써넣으세요.

식탁의 수(개)	2	3	6	10	13	⋯⋯
접시의 수(개)	4	6	12	20	26	⋯⋯
의자의 수(개)	12	18	36	60	78	⋯⋯

식탁의 수와 접시의 수 사이의 대응 관계　식　□×2=○
또는 ○÷2=□

접시의 수와 의자의 수 사이의 대응 관계　식　○×3=☆
또는 ☆÷3=○

식탁의 수와 의자의 수 사이의 대응 관계　식　□×6=☆
또는 ☆÷6=□

식탁이 20개일 때 접시와 의자의 수　➡　접시의 수: 40 개　의자의 수: 120 개

□×2=○이므로 접시의 수는 20×2=40(개),
□×6=☆이므로 의자의 수는 20×6=120(개)입니다.

58 교과특강_E1

링크_세 양의 대응 관계 59

LINK 3 식으로 나타내기 (2)

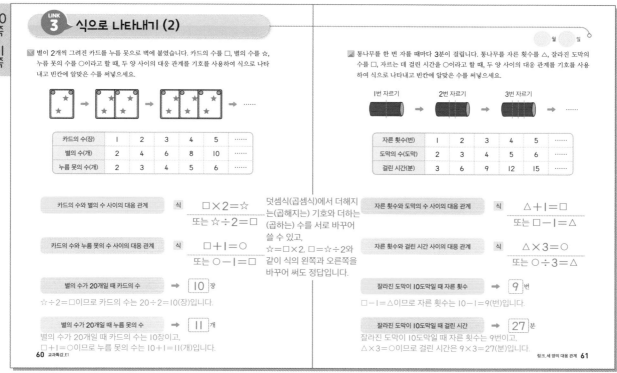

별이 2개씩 그려진 카드를 누름 못으로 벽에 붙였습니다. 카드의 수를 □, 별의 수를 ☆, 누름 못의 수를 ○이라고 할 때, 두 양 사이의 대응 관계를 기호를 사용하여 식으로 나타내고 빈칸에 알맞은 수를 써넣으세요.

카드의 수(장)	1	2	3	4	5	......
별의 수(개)	2	4	6	8	10	......
누름 못의 수(개)	2	3	4	5	6	......

카드의 수와 별의 수 사이의 대응 관계	식	□×2=☆
		또는 ☆÷2=□

카드의 수와 누름 못의 수 사이의 대응 관계	식	□+1=○
		또는 ○-1=□

| 별의 수가 20개일 때 카드의 수 | ➡ | 10 장 |

☆÷2=□이므로 카드의 수는 20÷2=10(장)입니다.

| 별의 수가 20개일 때 누름 못의 수 | ➡ | 11 개 |

별의 수가 20개일 때 카드의 수는 10장이고,
□+1=○이므로 누름 못의 수는 10+1=11(개)입니다.

덧셈식(곱셈식)에서 더해지는(곱해지는) 기호와 더하는(곱하는) 수를 서로 바꾸어 쓸 수 있고,
☆=□×2, □=☆÷2와 같이 식의 왼쪽과 오른쪽을 바꾸어 써도 정답입니다.

통나무를 한 번 자를 때마다 3분이 걸립니다. 통나무를 자른 횟수를 △, 잘라진 도막의 수를 □, 자르는 데 걸린 시간을 ○이라고 할 때, 두 양 사이의 대응 관계를 기호를 사용하여 식으로 나타내고 빈칸에 알맞은 수를 써넣으세요.

1번 자르기 → 2번 자르기 → 3번 자르기 → ......

자른 횟수(번)	1	2	3	4	5	......
도막의 수(도막)	2	3	4	5	6	......
걸린 시간(분)	3	6	9	12	15	......

자른 횟수와 도막의 수 사이의 대응 관계	식	△+1=□
		또는 □-1=△

자른 횟수와 걸린 시간 사이의 대응 관계	식	△×3=○
		또는 ○÷3=△

| 잘라진 도막이 10도막일 때 자른 횟수 | ➡ | 9 번 |

□-1=△이므로 자른 횟수는 10-1=9(번)입니다.

| 잘라진 도막이 10도막일 때 걸린 시간 | ➡ | 27 분 |

잘라진 도막이 10도막일 때 자른 횟수는 9번이고,
△×3=○이므로 걸린 시간은 9×3=27(분)입니다.

정답

형성평가

형성평가 1회

맞힌 문항 수: / 6문항

1 대응 관계를 나타낸 상황과 상황을 기호로 나타낸 식을 알맞게 이어 보세요.

| 연필꽂이 I개에 연필이 4자루씩 꽂혀 있습니다. | ☆+4=△ |
| 유준이가 가진 연필의 수는 지호가 가진 연필의 수보다 4자루 더 많습니다. | ☆×4=△ |

(연필꽂이 → ☆×4=△, 유준이 → ☆+4=△ 교차 연결)

2 표를 완성하고 □과 ○ 사이의 대응 관계를 기호를 사용하여 식으로 나타내어 보세요.

□	1	2	3	6	11	16	39	……
○	6	7	8	11	16	21	44	……

(+5)

식 □+5=○
또는 ○−5=□
(5+□=○, ○=□+5, □=○−5 등도 정답입니다.)

3 상자 하나에 과자가 12봉지 들어 있습니다. 상자의 수를 □, 과자의 수를 ♡이라고 할 때, 두 양 사이의 대응 관계를 기호를 사용하여 식으로 나타내어 보세요.

식 □×12=♡
또는 ♡÷12=□
(12×□=♡, ♡=□×12, □=♡÷12 등도 정답입니다.)

64 교과특강_E1

※ 삼각형과 원으로 규칙적인 배열을 만들고 있습니다. 물음에 답하세요. (4-5)

삼각형의 수(개)	1	2	3	4	5	……
원의 수(개)	3	4	5	6	7	……

4 삼각형의 수를 △, 원의 수를 ○이라고 할 때, 두 양 사이의 대응 관계를 기호를 사용하여 식으로 나타내어 보세요.

식 △+2=○
또는 ○−2=△
(2+△=○, ○=△+2, △=○−2 등도 정답입니다.)

5 삼각형이 20개일 때 필요한 원의 수는 몇 개일까요?

△+2=○이므로 20+2=22입니다.

(22)개

6 형의 나이는 동생의 나이보다 3살 더 많습니다. 형의 나이와 동생의 나이 사이의 대응 관계를 바르게 설명한 것의 기호를 모두 써 보세요.

> ㉠ 형의 나이가 6살이라면 동생의 나이는 9살입니다.
> ㉡ 동생의 나이가 15살이라면 형의 나이는 18살입니다.
> ㉢ 동생의 나이를 ○, 형의 나이를 □이라고 할 때, 대응 관계는 ○+3=□입니다.
> ㉣ 대응 관계를 ☆−3=△으로 나타낸다면 ☆은 동생의 나이, △은 형의 나이입니다.

㉠ 형의 나이가 동생의 나이보다 많아야 하므로 형의 나이가 6살이라면 동생의 나이는 3살입니다.
㉣ ☆은 형의 나이, △은 동생의 나이입니다.

(㉡, ㉢)

형성평가 1회 65

형성평가 2회

맞힌 문항 수: / 6문항

1 자동차의 수를 □, 바퀴의 수를 ○이라고 할 때, 표를 완성하고 두 양 사이의 대응 관계를 기호를 사용하여 식으로 나타내어 보세요.

자동차의 수(대)	1	2	7	15	31	……
바퀴의 수(개)	4	8	28	60	124	……

(×4)

식 □×4=○
또는 ○÷4=□
(4×□=○, ○=□×4, □=○÷4 등도 정답입니다.)

2 탁자 I개에 의자가 5개씩 놓여 있습니다. 탁자의 수를 ○, 의자의 수를 △이라고 할 때, 두 양 사이의 대응 관계를 나타낸 식을 찾아 모두 ○표 하세요.

○+5=△   ○÷5=△ (○)   ○×5=△ (○)   △−5=○

탁자의 수(개)	1	2	3	4	5
의자의 수(개)	5	10	15	20	25

3 현아는 수아보다 나이가 3살 더 많습니다. 현아의 나이를 ☆, 수아의 나이를 ◇이라고 할 때, 두 양 사이의 대응 관계를 기호를 사용하여 식으로 나타내어 보세요.
현아의 나이는 수아의 나이보다 3살 더 많으므로 수아의 나이에 3을 더하면 현아의 나이입니다.

식 ◇+3=☆
또는 ☆−3=◇
(3+◇=☆, ☆=◇+3, ◇=☆−3 등도 정답입니다.)

66 교과특강_E1

※ 한 사람에게 공책을 3권씩 나누어 주려고 합니다. 사람의 수와 공책의 수 사이의 대응 관계를 찾아 물음에 답하세요. (4-6)

4 사람의 수와 공책의 수 사이의 대응 관계를 ☆÷3=○으로 나타내었습니다. 빈칸에 알맞은 기호를 써넣으세요.

○은 사람의 수, ☆은 공책의 수를 나타냅니다.

한 사람에게 공책을 3권씩 나누어 주려면 공책의 수가 사람의 수보다 많아야 합니다. 즉, 공책의 수를 3으로 나눈 몫이 사람의 수입니다.

5 사람이 30명이라면 필요한 공책의 수는 몇 권일까요?

○×3=☆이므로 30×3=90입니다.

(90)권

6 위의 그림에서 한 사람마다 공책을 I권씩 더 나누어 줍니다. 사람의 수를 △, 공책의 수를 □이라고 할 때, 두 양 사이의 대응 관계를 기호를 사용하여 식으로 나타내어 보세요.
한 사람마다 공책을 I권씩 더 준다면 한 사람에게 4권씩 나누어 주므로 3배였던 대응 관계가 4배로 바뀌고, △×4=□입니다.

식 △×4=□
또는 □÷4=△
(4×△=□, □=△×4, △=□÷4 등도 정답입니다.)

형성평가 2회 67

16 교과특강_E1

"교과수학을 완성합니다."

수와 도형의 배열에서 규칙을 찾아
사고력을 기릅니다.

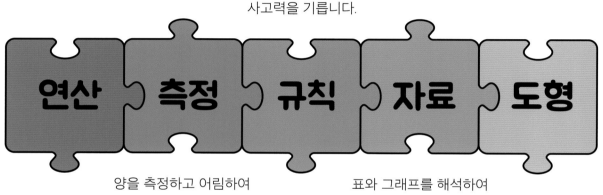

양을 측정하고 어림하여
실생활의 수 감각을 기릅니다.

표와 그래프를 해석하여
추론능력을 기릅니다.